BODY FINDER
**

L'APPEL
DES ÂMES
PERDUES

L'auteur

Kimberly Derting est l'auteur de la série *The Body Finder* et de la trilogie *The Pledge*. Elle vit dans le nord-ouest des États-Unis, au bord du Pacifique, où elle puise l'inspiration pour l'écriture de ses romans… Dans cette région, les journées maussades nourrissent l'ambiance sombre et effrayante de ses histoires.

Body Finder

Livre 1 : *Body Finder*
Livre 2 : *L'appel des âmes perdues*

Livre 3 (à paraître en 2015)

Kimberly Derting

BODY FINDER
**

L'APPEL DES ÂMES PERDUES

Traduit de l'anglais (États-Unis)
par Marion Tissot

POCKET JEUNESSE
PKJ·

Directeur de collection :
Xavier d'Almeida

Titre original :
Desires of the Dead
Publié pour la première fois en 2011
par Harper Teen, Harper Collins, New York.

Loi n° 49-956 du 16 juillet 1949 sur les publications
destinées à la jeunesse : août 2014.

ISBN 978-2-266-21402-5

À Amanda, Connor et Abby,
toujours.

PROLOGUE

Violet se tenait à quatre pattes sur le sol gelé. À l'intérieur de ses bottes, ses orteils lui donnaient l'impression que des échardes glacées lui labouraient la peau et se glissaient dans ses veines. Elle avait perdu toute sensation dans les doigts.

Le faisceau de la lampe torche fendit l'obscurité qui était descendue sur la forêt enneigée, dessinant un cercle à l'endroit qu'elle avait déblayé.

Son état de confusion ne lui permettait pas d'affirmer si l'homme qui se dressait au-dessus d'elle était réel ou non, mais sa peau burinée semblait animée d'une lueur surnaturelle, à la fois étrange et belle.

Les pensées de Violet formaient un magma confus, et les remonter des profondeurs marécageuses de son esprit lui demandait d'énormes efforts.

Il lui parlait sans se douter que son cerveau drogué filtrait ses mots, qu'il les brouillait et leur ôtait toute cohérence. Elle tenta de se concentrer malgré la sensation de paix qui l'inondait, anesthésiant ses sens.

Il lui restait assez de discernement pour être terrifiée. Et le peu qu'elle saisissait de ses paroles lui indiquait qu'il était perturbé. Et dangereux.

7

Il l'avait suivie. Au beau milieu de la nuit. Et en dépit du brouillard qui déformait ses perceptions, elle se rendit compte qu'il savait pourquoi elle était là. Qu'il avait compris, d'une manière ou d'une autre, qu'elle avait découvert le corps.

Ses yeux se posèrent sur l'objet qu'il tenait, et ses idées embrouillées s'éclaircirent immédiatement.

Il resserra les doigts sur la crosse du fusil de chasse, puis la regarda.

— Je suis sincèrement navré que tu l'aies trouvée, dit-il d'une voix triste. Je ne voulais pas que quelqu'un d'autre meure.

CHAPITRE 1

Janvier, cinq semaines plus tôt

Chelsea se pencha vers Violet comme pour lui confier un secret à l'oreille.

— Mate le beau gosse!

Violet fit un bond sur sa chaise. Chelsea avait hurlé, toute la cafétéria en avait profité. Comme d'habitude, l'autocensure de Chelsea semblait en veille.

Le garçon en question passait justement à côté d'elles, et comme tout le monde, il avait entendu. Il croisa le regard de Violet. Chelsea se retourna vers July et Claire, feignant de rire à une plaisanterie, pour donner l'impression que la remarque scabreuse venait de son amie.

Le garçon adressa un sourire gêné à Violet, qui rougit de honte. Elle se sentait désolée pour lui : arriver dans une nouvelle école ne devait pas être une partie de plaisir, même pour un *beau gosse*.

Une fille le rejoignit. Si Violet n'avait pas déjà su qu'il s'agissait de sa petite sœur, elle aurait pu le deviner à leur ressemblance.

Dans une ville aussi petite que Buckley, l'entrée au lycée de *deux* nouveaux élèves le même jour était source de ragots interminables. Même s'ils étaient frère et sœur.

Le frère et la sœur trouvèrent une place au fond, loin de l'agitation de la grande salle bruyante.

— Merci, Chels! Je suis sûre que tu l'as mis à l'aise, lança Violet avant de reporter son attention sur son plateau.

La pizza dégoulinait et la compote de pommes avait une teinte grisâtre. Elle en eut l'appétit coupé.

— Pas de quoi, Vi. Tu me connais: je suis la générosité incarnée. Je voulais simplement qu'il se sente le bienvenu. Et s'il ne veut pas que l'on parle de lui, il n'a qu'à être moins canon.

Elle lorgnait toujours en direction du frère et de la sœur quand son front se plissa.

— Qu'est-ce que ton mec fabrique avec eux?

Violet se retourna en se contorsionnant sur sa chaise au moment où Jay s'approchait de leur table. Il s'assit à côté de la fille, mais il parlait à son frère comme s'ils se connaissaient depuis toujours. Puis il montra Violet du doigt et lui fit signe en même temps que le nouveau levait les yeux vers elle.

C'était la deuxième fois qu'il la surprenait en train de l'observer.

Violet essaya de se dérider mais son sourire ne trouva pas le chemin de ses lèvres. Elle songea à faire semblant de ne pas les avoir vus, mais, se rendant compte qu'il était trop tard, elle agita mollement la main avant de leur tourner le dos. Elle espérait que le nouveau ne racontait pas à Jay qu'elle l'avait traité de «beau gosse», et que Jay – qui avait été son meilleur ami bien avant d'être son petit ami – devinerait qu'elle n'était pas l'auteur de cette remarque.

— Regardez, fit Claire, étrangère à la notion d'embarras quand il ne s'agissait pas du sien. Je crois que Jay les invite à notre table.

— Super, marmonna Violet sans desserrer les dents.

— Quoi? demanda Chelsea d'un air faussement innocent. Tu ne veux pas que le nouveau déjeune avec nous? Ça
n'a pas l'air de déranger Claire et July, hein, les filles?

July était trop occupée à manger pour prendre part à la
conversation: elle engouffrait son repas comme un prisonnier craignant qu'on ne le lui vole.

— Bien sûr que non, répondit Claire.

— Tu as quand même de la chance, Violet. Ton copain a
un cœur en or. Il fait tout pour que le nouveau se sente à l'aise.
(Elle marqua une pause avant d'ajouter:) Tu devrais essayer de
prendre exemple sur Jay et moi. Ouvrir ton cœur… rien qu'un
petit peu.

— Attendez, la coupa Claire sans prêter attention à son
monologue. Fausse alerte. Jay arrive sans les nouveaux.

Tandis que Jay s'asseyait à côté d'elle, Violet lança un regard
mauvais à Chelsea en guise d'avertissement. Glissant sa main
sous la chemise de Violet, Jay lui caressa le bas du dos du bout
du pouce. Un contact aussi familier que désarmant. Elle se
pencha vers lui et il l'embrassa sur le front. Ses lèvres étaient
douces mais lui laissèrent une sensation de picotement. Elle
avait du mal à croire que son cœur continuait de faire des
cabrioles chaque fois qu'il se trouvait près d'elle.

— Qu'est-ce que vous mijotez? lança-t-il, et Violet se
demanda si c'était son imagination ou si elle avait perçu un
sous-entendu dans sa question.

— Nous discutions de tes nouveaux amis, répondit
Chelsea avec un sourire angélique. Enfin… surtout de lui.

Chelsea Morrison était une jolie fille. Elle avait une belle
peau, un corps svelte, athlétique, des cheveux brillants d'un
châtain cuivré. L'illusion était presque parfaite, jusqu'à ce
qu'elle ouvre la bouche. Heureusement pour elle, elle se
moquait éperdument de l'avis de ses semblables… positif ou

négatif. Chelsea refusait de se conformer à ce que les gens attendaient d'elle.

— Tu parles de *Mike*? fit Jay, révélant le prénom du nouveau venu. Je lui ai proposé de se joindre à nous, mais bizarrement (il haussa les sourcils à l'adresse de Violet), il a refusé. Vous me cachez quelque chose? La raison pour laquelle Mike préfère ne pas être assis à votre table, par exemple?

Violet faillit s'étouffer avec un morceau de pizza détrempé.

— C'est pas moi... C'est elle! dit-elle, désignant Chelsea.

L'accusée éclata de rire, et même July cessa de se gaver un instant pour sourire avec admiration. Seule Claire resta de marbre. Elle semblait avoir décroché de la conversation. Ses doigts s'activaient frénétiquement sur les touches de son téléphone portable; elle était absorbée dans un long échange de textos.

— Je m'en doutais, reconnut Jay. Chelsea est la seule fille de ce bahut à avoir le cran de balancer un truc pareil à quelqu'un.

Chelsea s'efforça de paraître indignée, écarquillant les yeux d'un air faussement scandalisé.

— Ben voyons! Et pourquoi ce ne serait pas July? Ou Claire?

— Quoi? piailla Claire. Je n'ai rien fait.

Chelsea leva les yeux au ciel devant le sérieux de son amie.

— Miss parano... Personne ne t'accuse de quoi que ce soit. En plus, je me moque que le nouveau sache que c'est moi. Je ne vois pas le mal qu'il y a à remarquer qu'il est... *mmm*, à croquer. (Après une pause, elle ajouta:) Alors raconte: à quoi ressemble sa vie?

Jay haussa les épaules.

— Aucune idée! Je le connais seulement depuis ce matin. Sa famille vient d'emménager ici. C'est à peu près tout ce que je sais.

— Pourquoi ici ? demanda July.

Violet se posait exactement la même question.

Buckley était loin d'être une ville de premier plan. Ce n'était qu'un endroit de passage sur une portion d'autoroute qui ne menait nulle part.

Jay haussa de nouveau les épaules.

— C'est louche, fit Chelsea. Renseigne-toi. Et elle ? Elle a un nom ? Pas que ça m'intéresse, mais quand je sortirai avec Mike, je ne pourrai pas l'appeler « la nouvelle », ce serait malpoli.

— J'ai une idée, dit Jay en se penchant vers Chelsea par-dessus la table. Dresse une liste de questions par ordre d'importance et je la lui remettrai pour qu'il la remplisse. Un genre de *Questionnaire pour le nouveau*. Ça ne presse pas, hein, mais tâche de me rendre ton devoir d'ici la fin de la journée.

— Ha, ha. Tu es à mourir de rire, Jay. Ça doit être pour ça que tu plais autant à Violet.

Puis, comme d'habitude, Chelsea changea de sujet avant que Jay ne puisse s'offusquer :

— Au fait, Violet, n'oublie pas, on se voit samedi.

— Aucun risque. Je ne manquerais une virée en ville sous aucun prétexte.

Et puis même si Chelsea pouvait parfois se montrer odieuse, Violet savait qu'elles allaient s'amuser. C'était l'occasion de fuir Buckley pour la journée…

En entendant la voix de son oncle à l'arrière de la maison, Jay repoussa Violet au fond du canapé et se redressa.

— Qu'est-ce qui te prend ? pouffa-t-elle. C'est juste oncle Stephen.

— Je sais, mais depuis le bal, j'ai l'impression qu'il nous a à l'œil. Je ne veux pas qu'il se fasse des idées.

13

Le bal. Cela faisait presque trois mois, mais Violet en frémissait encore.

Pas un jour ne passait sans qu'elle soit heureuse que Jay soit toujours en vie. Heureuse que la balle n'ait fait que l'égratigner à l'épaule, bien que le tueur – un des hommes de son oncle – ait visé en plein cœur.

Si son oncle n'était pas arrivé à temps pour tirer le coup fatal, ni elle ni Jay ne s'en seraient sortis vivants.

Jay avait toujours apprécié son oncle, mais maintenant, cela frisait l'adoration. Et même s'il ne l'admettrait jamais, Violet le soupçonnait de se sentir redevable envers lui… Une dette dont il ne pourrait jamais s'acquitter, et il le savait.

Une dette qu'il ne devait qu'à elle. C'était à cause d'elle s'il s'était retrouvé dans cette situation. Elle et son fichu don : les morts l'appelaient.

Grâce à des échos qu'elle seule percevait, ils l'attiraient à eux, l'aiguillaient vers l'endroit où ils reposaient. Ces échos prenaient des formes variées – une odeur, un bruit, parfois une couleur inexplicable, n'importe quoi.

Cependant, n'émettaient d'écho que les victimes d'un meurtre. Et Violet décelait chez l'assassin un écho identique, qui pouvait s'atténuer avec le temps, mais uniquement jusqu'à un certain point. Il l'accompagnait jusqu'à sa mort, sous une forme ou une autre, souvenir univoque de la vie qu'il avait ôtée et qu'il portait malgré lui partout où il allait.

Et Violet était la seule à le savoir. Elle seule voyait, sentait, entendait ce que le meurtrier avait fait. Il ne pouvait pas le lui dissimuler.

— Qu'est-ce que vous fabriquez, tous les deux ?

La voix malicieuse de son oncle le précéda dans la pièce. Mais sa voix n'était que le deuxième signe de sa présence ; Violet en avait eu un avant-goût avant qu'il ne franchisse le seuil de la maison. Depuis qu'il avait sauvé sa vie et celle de

Jay, son oncle possédait sa propre empreinte. L'amertume du suc de pissenlit brûlait les papilles de Violet chaque fois qu'il se trouvait dans les parages. Une saveur qu'elle avait appris à accepter, voire à apprécier, dans une certaine mesure.

— Rien que vos parents n'approuveraient pas, j'espère, ajouta-t-il.

— Si tu savais, répliqua-t-elle en adressant un sourire démoniaque à Jay. Alors si tu pouvais faire vite, nous t'en serions très reconnaissants.

Jay se leva d'un bond.

— Elle plaisante, bafouilla-t-il. On ne faisait rien de spécial.

Violet se leva à son tour. Son oncle Stephen s'arrêta net et les dévisagea attentivement. Violet aurait juré qu'elle sentait Jay se trémousser à côté d'elle, même si chaque muscle de son corps était comme paralysé. Violet adressa son sourire le plus coupable à son oncle.

Finalement celui-ci haussa les sourcils, incarnation parfaite du flic soupçonneux.

— Tes parents m'ont demandé de passer jeter un œil sur vous avant de rentrer. Ils reviendront tard dans la soirée. Je peux compter sur vous pour être sages?

— Sans problème…, se récria Jay.

— Il vaudrait mieux pas! s'exclama Violet. (Puis, apercevant l'expression horrifiée de Jay, elle ajouta en riant:) Relax, oncle Stephen, tout va bien. On révise.

Son oncle avisa la pile de manuels relégués sur la table basse. Pas un n'était ouvert. Il coula un regard sceptique à sa nièce mais s'abstint de tout commentaire.

— On s'est peut-être un peu égarés, précisa-t-elle, et elle vit Jay frétiller avec nervosité.

Après les avoir copieusement mis en garde et avoir fait promettre à Violet de fermer la porte derrière lui, oncle Stephen se résolut à les laisser seuls.

Lorsque Violet se retourna vers Jay avec sa moue la plus innocente, celui-ci la fusilla du regard.

— Pourquoi tu m'as fait ça?

— Pourquoi tu te préoccupes tellement de ce qu'il peut penser?

Violet essayait depuis des semaines de faire admettre à Jay que son oncle était devenu son héros, mais il était trop têtu pour l'avouer – ou peut-être qu'il ne s'en rendait vraiment pas compte – .

Il fit un pas vers elle.

— Parce que, Violet…, commença-t-il sur un ton menaçant. Mais l'étincelle de malice dans ses yeux le trahit.

— C'est ton oncle et c'est le chef de la police. À quoi rime de le provoquer?

Violet recula d'un pas, et Jay avança immédiatement le pied opposé au sien. Il la pourchassait maintenant autour de la table basse, et Violet ne pouvait se retenir de glousser tandis qu'elle battait en retraite.

Mais Jay était trop rapide pour elle et ses bras l'emprisonnèrent sans lui laisser aucune chance de se sauver.

La ramenant de force au canapé, il la plaqua sous lui lorsqu'ils s'écroulèrent sur les coussins.

— Arrête! cria-t-elle, sans en penser un mot.

— J'hésite…, répondit-il. Je trouve que tu mérites une punition.

Elle sentait son souffle tiède contre sa joue, et elle se retrouva à avancer le cou vers lui au lieu de détourner la tête.

— Peut-être que nous devrions nous remettre à *réviser*, suggéra-t-il.

Réviser avait longtemps été leur mot de code pour *fricoter*, jusqu'à ce qu'ils se rendent compte que personne n'était dupe.

Jay n'avait qu'une parole, surtout lorsqu'il s'agissait de révisions, et ses lèvres se posèrent sur celles de Violet. Toute feinte velléité de résistance envolée, elle enroula ses bras autour de son cou.

— OK, gronda-t-il d'une voix rauque. C'est parti pour les révisions.

Il l'attira contre lui, jusqu'à ce qu'ils soient face à face, allongés sur le canapé. Violet ne tarda pas à s'animer, explorant son corps avec fébrilité. Elle tressaillit en sentant les doigts rugueux de Jay se glisser sous son tee-shirt et effleurer sa peau nue. Il remonta le long de son ventre, et lorsque son pouce arriva à la base de sa cage thoracique, Violet retint sa respiration.

Et soudain, comme c'était déjà arrivé tant de fois, il s'interrompit. Violet sentit un sentiment de frustration familier la gagner.

Il ne dit pas un mot ; ce n'était pas nécessaire. Encore une fois, ils s'étaient aventurés trop loin. Mais elle était déçue, et elle avait de plus en plus de mal à ravaler sa déception. Elle savait qu'ils ne pourraient pas rester éternellement sur leur faim.

— Alors demain, tu vas à Seattle ? demanda Jay.

La question visait seulement à combler le fossé entre eux, mais sa voix chevrotait et Violet était contente qu'il ne soit pas complètement maître de lui-même.

Elle avait plus de mal que lui à feindre l'indifférence quand elle n'avait qu'une seule envie : lui arracher sa chemise et déboutonner son jean.

Mais ils en avaient parlé. Et chaque fois ils en étaient venus à la même conclusion : ils devaient être sûrs. À cent pour cent. Car une fois qu'ils auraient franchi le pas…

Leur amitié remontait au CP, et jusqu'à l'automne précédent, il n'avait jamais été question d'autre chose. Maintenant que Violet était amoureuse de lui, il était exclu qu'elle le perde à cause d'une décision prise à la hâte.

Alors puisque Jay voulait bavarder, elle allait bavarder. En attendant.

— Ouais, répondit-elle. Chelsea veut se balader sur le front de mer et écumer quelques magasins. Elle est plus cool en tête à tête. Quand elle débranche, si tu vois ce que je veux dire.

— Quand elle ne tire pas à bout portant sur untel ou unetelle ?

— Voilà.

Jay plissa le front et, l'espace d'un moment, Violet se demanda à quoi il pensait. Puis il lui sourit et glissa la main sous sa tête. Une lueur malicieuse passa dans son regard, rappelant à Violet qu'il était toujours son meilleur ami.

— Tu sais qu'elle m'a remis un questionnaire pour Mike ?

Violet éclata de rire et se redressa. C'était trop ridicule pour être vrai.

— Rassure-moi, s'écria-t-elle, ses yeux agrandis par le choc. Tu ne le lui as pas donné ?

Jay s'assit à son tour et sourit de toutes ses dents.

— Non. Je lui ai conseillé de le lui remettre elle-même.

Violet se détendit.

— Et ?

— Mystère ! Avec Chelsea, il faut s'attendre à tout. (Il dévisagea Violet attentivement, penché sur elle, lui caressant la joue avec son pouce.) Enfin bref, dit-il, changeant de sujet. Je sors du travail à six heures demain soir. On pourrait se retrouver après ? Tu pourras me dire à quel point je t'ai manqué.

Il l'embrassa. Bientôt, ses baisers se firent plus lents et elle l'entendit gémir. Cette fois, quand il écarta sa bouche de la sienne, l'indécision se lisait dans ses yeux. Elle se sentait happée dans les profondeurs de son regard hésitant.

Violet aurait voulu lancer une pique sarcastique pour détendre l'atmosphère, mais avec la façon que Jay avait de la regarder, c'était peine perdue.

Elle fit abstraction du bon sens qui lui soufflait de ne pas l'embrasser à nouveau, préférant laisser s'exprimer la partie d'elle-même qui en demandait davantage, la partie qui lui répétait : « Continue. »

Et quand Jay ne recula pas non plus, elle comprit qu'elle n'était pas la seule à se moquer de la raison ce soir-là.

Son cœur manqua plusieurs battements, palpitant follement, tandis que leurs lèvres se touchaient enfin.

CHAPITRE 2

Violet était assise à la table de la cuisine lorsque son père descendit, habillé pour partir au travail. Selon l'horloge, il n'était que 05 h 15. Un samedi.

— J'ai préparé du café, murmura Violet, même s'ils ne risquaient pas de réveiller sa mère d'aussi bonne heure.

Ignorant sa proposition, son père vint s'asseoir à côté d'elle.

— Ça va, Vi ? Tu n'arrives pas à dormir ? demanda-t-il, les sourcils froncés, encore plus sérieux qu'à son habitude. Encore ce cauchemar ?

Violet serra les dents. Évidemment. Quoi d'autre ? Un homme sans visage la pourchassait, nuit après nuit, et elle se réveillait en sursaut, un cri douloureux, muet, coincé dans sa gorge.

— C'est la troisième fois cette semaine, soupira-t-elle. Mais il m'a presque laissée finir ma nuit, pour une fois.

— Tu ne crains rien, ma puce, la rassura-t-il en pressant sa main avec douceur. Plus personne ne peut te faire de mal. Ni à toi, ni à Jay.

Elle haussa les épaules et retira sa main.

— Je sais que c'est juste un rêve.

Elle avala une cuillerée de céréales, essayant de s'en persuader.

Si seulement il ne paraissait pas aussi réel...

Mais son père avait raison ; ce n'était rien d'autre qu'un cauchemar. Et puis ce n'était pas comme si elle possédait un don de voyance. Grâce à leurs facultés, les médiums pouvaient prédire l'avenir, voir les événements *avant* qu'ils ne se produisent. Elle, en revanche, ne pouvait que localiser les morts. *Après* leur mort.

C'était une aptitude difficile à assumer – même si elle avait pu la mettre à contribution le jour où un duo de tueurs en série s'en étaient pris à des adolescentes dans la région. Mais évidemment, elle n'avait pas pu sauver leurs victimes. Elle avait seulement aidé à identifier les tueurs, à empêcher qu'ils recommencent.

Alors oui, elle était peut-être spéciale, mais si on lui avait demandé son avis, elle aurait préféré être médium. Ou, mieux encore, complètement normale.

Sauf qu'on ne lui avait jamais laissé le choix.

Chelsea n'avait qu'une demi-heure de retard. Un moindre mal, quand on connaissait son sens de la ponctualité.

Elle se gara dans l'allée et klaxonna un grand coup. Même sa voiture était insupportable.

Violet adressa un regard désolé à sa mère avant de franchir le seuil.

Un deuxième coup de klaxon retentit alors que Violet sautait au bas des marches du perron.

— Sympa, Chels. Et si mes parents dormaient encore ? l'accusa-t-elle en se glissant dans l'habitacle tiède.

— Tu parles ! Ton père est pire qu'un fermier. Il se lève et se couche avec les poules. Et je doute sincèrement que ta mère émerge après dix heures, même un samedi, non ? demanda-t-elle en regardant Violet du coin de l'œil, les sourcils arqués.

— Pas ce matin, admit Violet. Mais ça lui arrive.

De toute façon, il était inutile de discuter ; Chelsea allumait déjà la stéréo.

Fin janvier ne marquait pas le pic de la saison touristique à Seattle. Encore moins sur le front de mer. En été, l'endroit grouillait de monde : chalands, touristes, musiciens de rue, artistes et serveurs jouaient des coudes sur les jetées. À cette époque de l'année, l'activité n'était pas tout à fait au point mort, mais il n'y avait pas foule, et les gens se recroquevillaient dans leurs manteaux douillets, cramponnés à des parapluies sous le ciel gris et bas.

La météo et l'absence de fanfares ne semblaient pas gêner Chelsea.

— On devrait prendre un ferry qui va sur une des îles, suggéra-t-elle.

Violet sourit.

— Vendu. Lequel on choisit ?

Violet se souvenait des traversées avec ses parents quand elle était petite. Ils lui achetaient un chocolat chaud puis tous les trois se pressaient contre le bastingage pour contempler la surface noire et agitée du Puget Sound.

— Le premier qui part ! répondit Chelsea, sautant comme une puce, l'enthousiasme lui donnant l'air plus jeune et moins blasé.

Violet éclata de rire. C'était la raison pour laquelle elle aimait passer du temps avec elle en tête à tête ; loin de son public, elle devenait méconnaissable.

Un bateau allait prendre le large dans un peu plus d'une heure. Elles achetèrent leur billet et se promenèrent sur les quais en attendant d'embarquer.

Elles firent halte au Ye Old Curiosity Shop, une sorte de cabinet de curiosités foisonnant de trucs bizarres où Chelsea dénicha un pendentif en forme de main rabougrie accroché à une chaîne. Elles demandèrent au vendeur de les prendre en photo devant un cochon pétrifié.

Il commençait à bruiner quand elles ressortirent et Violet rabattit la capuche de son manteau sur sa tête.

L'impression, le frémissement sous sa peau l'interpellèrent bien avant le son lui-même.

Ce tremblement caractéristique fut immédiatement suivi par la sensation inexorable d'être appelée, comme si une main plongeait tout au fond d'elle et tirait. De même qu'elle ne pouvait ignorer cet appel, elle ne pouvait nier son explication.

Quelque chose de mort l'appelait.

Le bruit qui chassa les vibrations, lorsqu'il lui parvint enfin, n'avait absolument pas sa place au bord des eaux agitées du Puget Sound.

En été, il aurait pu s'expliquer par les musiciens de rue qui s'installaient sur les jetées pour attirer les touristes. Mais, au plus fort de l'hiver, le chant de cette harpe, semblable à celle dont les anges auraient pu jouer dans l'imagination de Violet, n'avait aucune raison d'être. Le murmure aurait été apaisant s'il n'avait signalé la présence d'un corps…

— Où on va? demanda Chelsea, troublant la concentration de Violet.

Violet ne s'était même pas aperçue qu'elle s'éloignait des échoppes installées sur le front de mer. Elle s'arrêta, l'index levé.

— Je crois que j'ai entendu un truc, expliqua-t-elle d'un air absent.

Elle songea à résister à l'envie de suivre le bruit et à l'ignorer, surtout avec Chelsea à ses côtés, qui ne savait rien de son «aptitude». Et puis qu'est-ce qu'elle croyait? Que ferait-elle du corps une fois qu'elle l'aurait localisé? Il n'y avait nulle part où l'enterrer, et il était hors de question qu'elle le ramène chez elle.

En général, quand Violet trouvait un animal victime d'un prédateur, elle se chargeait elle-même de l'enterrer. Elle possédait son propre cimetière. Glauque, certes, mais nécessaire pour une fille dotée d'une faculté comme la sienne.

S'il s'agissait d'une personne, c'était une autre paire de manches.

Lorsqu'un écho l'appelait, et tant que le cadavre n'était pas inhumé comme il se devait, Violet ne connaissait pas de repos. Ce n'était qu'une fois le corps dans sa dernière demeure que l'écho s'estompait. Et même s'il ne disparaissait jamais complètement, il s'amenuisait, relégué à l'arrière-plan de sa conscience, et Violet retrouvait une paix relative.

— Reste ici, Chels. Je reviens, s'entendit-elle déclarer.

Sur quoi elle s'éloigna sans attendre la réponse de son amie.

Il lui fallut un moment avant de repérer la bonne direction. C'était plus loin qu'elle ne l'imaginait, et elle avait à peine conscience du fait que le paysage changeait radicalement autour d'elle. Sous sa peau, la harpe continuait de vibrer.

Longeant le front de mer, elle dépassa les charmantes boutiques d'antiquités et les façades en briques délavées du vieux Seattle. Les docks se trouvaient droit devant elle. Une haute enceinte grillagée surmontée de fils barbelés apparut, contrastant avec les trottoirs pavés et le bois usé des quais qu'elle laissait dans son dos. De grosses lézardes fendaient le béton accidenté sous ses pieds.

Des panneaux accrochés au grillage indiquaient : *Défense d'entrer sous peine de poursuites.*

À l'intérieur de l'enceinte, d'énormes conteneurs en acier étaient empilés les uns sur les autres, mis bout à bout, formant une forteresse impénétrable, cachant des montagnes de palettes et une armée de chariots élévateurs. D'imposantes grues rouges les surplombaient. Derrière, plusieurs cargos flottaient sur l'eau.

Des mouettes, certaines d'un blanc éclatant, certaines couleur eau de vaisselle sale, se posaient sur le sol, à la recherche de restes.

C'était samedi, et les lieux étaient pratiquement déserts, à l'image du parking extérieur qui ne comptait que quelques voitures, mais le grand portail d'entrée était ouvert.

Violet se glissa à l'intérieur sans que personne la hèle. Elle était de toute façon trop préoccupée pour se soucier de se faire remarquer. Les vibrations de la harpe s'amplifièrent au point de devenir douloureuses et de la faire grincer des dents. Cet écho, si proche, annihilait toute volonté en elle.

Elle contourna une rangée de conteneurs peints dans des tons ternes de rouge, de bleu et de gris.

L'odeur saumâtre de l'eau de mer lui picotait les narines, et elle se demanda comment elle avait fait pour ne pas s'en apercevoir plus tôt. Cela lui paraissait maintenant si évident. L'air marin et la harpe. *Et le corps.*

Elle s'arrêta, soudain consciente de ne pas être seule.

Les poils à la base de sa nuque se hérissèrent. Quelqu'un se tenait derrière elle, quelqu'un l'observait.

Tous ses muscles se raidirent. Elle retint son souffle. Elle avait peur de se retourner. Elle avait déjà ressenti cette impression d'être traquée.

Mais elle n'avait pas le choix ; il fallait qu'elle sache.

Un... deux...

Avant qu'elle arrive à trois, elle sentit une main se refermer sur son bras.

Violet sursauta violemment, son cœur explosant dans sa poitrine.

Chelsea poussa un cri perçant, l'inquiétude voilant son visage, au moment où Violet se retourna vers elle, les yeux agrandis par la peur. Chelsea se couvrit précipitamment la bouche.

— Chels, qu'est-ce que tu fais ici? Je croyais t'avoir demandé de m'attendre! siffla Violet, entraînant Chelsea derrière un conteneur.

— *Qu'est-ce que tu as cru entendre, Vi?* demanda celle-ci en lui prenant la main.

Violet posa un doigt sur ses lèvres pour lui intimer de se taire et s'éloigna, concentrée sur la mélodie de la harpe. Elle entendait Chelsea respirer bruyamment dans son dos, et elle se demanda si elle avait peur...

Elle était perplexe. Elle se trouvait au bon endroit; le son se confondait presque avec l'écho à l'intérieur d'elle désormais, pinçant des cordes dans sa poitrine et se propageant dans sa tête... ses doigts... ses orteils.

Or elle ne voyait rien d'anormal.

Hormis des conteneurs entassés sur une vaste étendue de bitume. Des blocs compacts. Tous scellés.

Elle leva la tête vers le conteneur rouge en face d'elle; ses cloisons en acier étaient infranchissables.

Elle en fit le tour, promena ses doigts sur la surface rugueuse, examinant les joints impeccables. Le son vibrait sous son cuir chevelu. Sa peau fourmillait. Elle finit par trouver la porte, mais il était clair que l'accès ne lui était pas autorisé. Elle était fermée à clé, un gros cadenas rouillé solidement accroché à un imposant anneau métallique.

«Il est là-dedans», pensa Violet. Le corps qui l'appelait se trouvait à l'intérieur de cette énorme boîte.

— Qu'est-ce qu'on fait ici? l'interrogea Chelsea.

Violet décela de l'inquiétude dans la voix de son amie.

Elle la regarda, oubliant momentanément le corps prisonnier de la tombe d'acier.

Qu'est-ce qu'elle pouvait lui répondre ? Elle ne se sentait pas prête à révéler son secret à Chelsea. En dehors de sa famille, personne n'était au courant de son étrange faculté de trouver les morts... les victimes. Sauf Jay. Et Violet entendait bien que cela reste ainsi.

Et quand bien même elle arriverait à lui expliquer en des termes plausibles, Chelsea ne pourrait jamais comprendre. Elle prendrait Violet pour une sorte de bête de foire.

Elle jeta un dernier coup d'œil résigné au conteneur, s'inclinant devant sa masse inviolable. Puis elle regarda autour d'elle et tenta de chasser le bourdonnement dans son crâne, d'ignorer les sons, ceux qu'elle était la seule à entendre, qui montaient de la boîte en acier.

— Je croyais avoir entendu quelque chose, dit Violet.

— On va louper le bateau, la pressa Chelsea.

Finalement, Violet renonça. Qu'est-ce qu'elle pouvait faire d'autre ? Ce n'était pas comme trouver un corps dans les bois autour de chez elle. Ce corps-là était sous scellés, hors de portée. Et elle ne savait même pas ce que c'était.

Sûrement une mouette, ou un rat, mort de faim, enfermé par accident sur le cargo.

Une mort accidentelle pouvait-elle donner lieu à une empreinte ?

« Il faut croire », conclut Violet en emboîtant le pas à Chelsea.

Le sel rendait l'air poisseux, s'accrochant aux ondes acoustiques... et à l'écho obsédant de la harpe qui flottait derrière elles.

La traversée en ferry se révéla plus distrayante que Violet ne s'y attendait, surtout après sa macabre découverte sur les docks.

Les deux amies ne restèrent qu'une heure sur l'île, le temps de s'offrir une glace à l'ancienne servie dans un cornet gaufré encore chaud. Les deux boules qu'elles commandèrent étaient les plus monstrueuses qu'elles avaient jamais vues, mais elles réussirent à en venir à bout.

Chelsea ne se lassait pas de parler de Mike, le nouveau, et Violet passa le plus clair de son temps à l'écouter. Son amie n'ayant pas pour habitude de faire une fixette sur un garçon, Violet trouvait assez comique de la voir intarissable sur le sujet. Non pas qu'il y eût beaucoup à en dire : en dehors du fait que sa sœur s'appelait Megan et que leur nom de famille était Russo, elles ne savaient pas grand-chose.

Depuis leur arrivée trois jours plus tôt, le frère et la sœur étaient restés entre eux, et Violet avait vu Mike parler à très peu de gens en dehors de Jay. Ce qui obligeait Chelsea à rabâcher les maigres informations qu'elle avait sur lui et à imaginer le reste.

Pendant la traversée de retour, Violet lutta contre l'inconfort persistant que lui avait procuré l'écho sur les docks. Car même si elle ne sentait plus son appel *physiquement*, même si elle n'entendait pas le chant de la harpe au large, il ne l'avait pas laissée tranquille pour autant.

Déjà la sensation familière s'installait, le malaise qui s'emparait d'elle chaque fois qu'un corps réclamait de reposer en paix.

Les morts ne voulaient pas toujours qu'on les oublie. Et ce besoin d'être découvert pouvait se révéler si impérieux qu'il devenait la seule préoccupation de Violet, son seul but. Elle n'avait alors de cesse de trouver, et si possible d'enterrer, le cadavre, afin de procurer à la victime et à elle-même un sentiment d'achèvement.

Tourner la page, disait sa mère, ce qui traduisait bien le soulagement que Violet ressentait quand un corps arrivait dans sa dernière demeure. Ou encore mieux, pensait Violet : *trouver la paix.*

Elle s'efforça de résister à la force qui se remit à l'attirer dès qu'elles eurent posé le pied sur la terre ferme. Le trajet en voiture fut éprouvant. Comme sur le ferry, elle était en proie à une insatisfaction qui refusait de lâcher prise.

En déposant Violet chez elle, Chelsea klaxonna une dernière fois tandis que son amie descendait de voiture. Violet éclata d'un rire un peu trop sonore, cherchant à chasser la tension qui s'accumulait à mesure que les minutes passaient.

Lorsque Jay appela pour lui proposer de sortir, Violet était d'une humeur exécrable. Elle songea à lui raconter ce qui s'était passé à Seattle, mais elle n'avait qu'une envie : se rouler en boule et faire comme si de rien n'était. Si elle avait pu tout effacer de sa mémoire, elle l'aurait fait sur-le-champ.

Jay savait qu'il était inutile d'insister. Violet avait besoin d'espace.

Elle finirait par lui parler le moment venu.

Dans l'immédiat, elle voulait juste se reposer. Et oublier.

CHAPITRE 3

L'obscurité était suffocante. Elle avait peur qu'elle ne finisse par l'asphyxier. Mais c'était le froid qui était intolérable.

Elle explora encore une fois l'endroit où elle se trouvait, comme elle le faisait sans relâche depuis qu'elle était enfermée. Le temps avait perdu toute signification à mesure que les secondes s'étaient transformées en minutes, puis en heures. Puis en jours.

C'était inutile, ses efforts étaient vains. Il n'y avait aucune issue. Pourtant son instinct de conservation lui interdisait de s'avouer vaincue... d'accepter son sort.

Il n'y avait pas de lumière. Pas un trait. Pas même une lueur.

Ce qui signifiait pas la moindre ouverture.

Mais elle ne pouvait pas abandonner. Alors elle s'obstinait, fouillant chaque surface à tâtons... le sol... les murs... les angles. Elle les connaissait comme sa poche maintenant, et sa peau était à vif à force d'ausculter le métal rigide.

Encore une fois, la panique s'empara d'elle et elle cria, tapant du poing contre les murs qui la retenaient prisonnière. La voix, ténue, qui sortit de sa bouche lui sembla étrangère. On aurait dit une personne déjà résignée à mourir.

L'obscurité se referma sur elle, emplissant ses poumons au point d'entraver sa respiration et de l'empêcher de crier.

Le son éraillé de sa voix d'étrangère retentit autour d'elle jusqu'à ce qu'elle se mette à haleter. Il lui fallait de l'air… de l'air frais… de l'air *non obscur*.

S'effondrant dans un coin, elle serra ses genoux dans ses bras et se balança d'avant en arrière.

Il faisait tellement noir.

Et elle était toute seule. Et terrorisée.

Elle pleura la tête entre ses jambes, ses sanglots se réduisant à un gémissement quasi inaudible tandis qu'elle se recroquevillait.

Elle voulait rentrer à la maison.

Violet se réveilla petit à petit, secouée par un long sanglot, le nez dans son oreiller humide, l'agrippant de toutes ses forces pour étouffer sa terreur.

Elle se sentait perdue, hébétée. Elle ne parvint pas tout de suite à se rappeler son cauchemar, si différent des précédents, ni la raison pour laquelle elle pleurait. Alors qu'elle s'efforçait de se calmer, il lui revint par bribes.

L'obscurité suffocante.

La peur. La panique pure.

Le sentiment de défaite dévastateur.

La lueur – faible et fugitive – d'espoir.

C'était comme si on l'avait enterrée vivante, dans l'obscurité totale. Si ébranlée soit-elle, elle se répétait que ce n'était rien d'autre qu'un mauvais rêve.

Mais cette fois, elle n'y croyait pas ; elle n'allait pas avaler ça. C'était plus qu'un rêve.

Et elle savait pourquoi. C'était à cause de la voix. Petite. Fragile. Ce n'était pas la sienne.

Elle ferma les yeux pour s'appliquer à trouver un sens à ces images obsédantes. Pourquoi avait-elle rêvé qu'elle était quelqu'un d'autre, enfermée seule dans le noir ?

Et pourquoi est-ce que ça avait l'air si réel ?

La réponse s'imposa d'elle-même. Même dans son rêve elle la connaissait, au plus profond de son sommeil. Et maintenant, alors qu'elle hésitait entre admettre la vérité et la nier, son équilibre se trouvait dangereusement menacé.

Cela paraissait réel parce que ça l'était.

Il y avait quelqu'un là-bas. Seul et terrorisé.

Elle cligna des paupières pour essayer de chasser cette pensée, mais il n'y avait rien à faire.

Il y avait un être humain à l'intérieur de ce conteneur en acier.

Elle secoua la tête, même si personne ne pouvait la voir. La voix refusait de se taire.

— Non, murmura-t-elle. Il n'y a personne.

Mais prononcer ces mots à voix haute n'en faisait pas une vérité ; elle le savait.

Les larmes affluèrent à nouveau – les siennes, cette fois, et celles de personne d'autre. Car son rêve lui disait qu'il y avait une personne dans ce conteneur – une personne morte –, et qu'elle devait retourner sur place pour en avoir le cœur net.

Le ciel était couleur ébène quand Violet sortit de chez elle sans faire de bruit. Elle avait laissé un mot bref et vague à ses parents, afin qu'ils ne s'inquiètent pas de son absence à leur réveil.

Retenant sa respiration, elle écouta les crissements du gravier sous ses pneus tandis qu'elle reculait tous feux éteints. Une fois hors de l'allée, elle vérifia que son portable était bien dans sa poche et alluma ses phares, illuminant le brouillard.

Elle n'avait pas pris le temps de faire tourner le moteur, par crainte d'alerter ses parents, et l'intérieur était gelé. Son haleine formait de la buée tandis qu'elle rejoignait l'autoroute.

Il était tôt – ou tard, selon le point de vue – et les routes étaient désertes. Violet avait l'impression d'être l'héroïne d'un film de science-fiction, unique survivante après la fin du monde. L'illusion dura jusqu'au moment où elle croisa une voiture. Elle se demanda si ses passagers rentraient chez eux ou, comme elle, en partaient.

Elle avait peu dormi et se sentait épuisée. L'obscurité engourdissait ses sens alors qu'elle filait sur l'asphalte, la berçant doucement. Elle s'arrêta à un café ouvert toute la nuit et commanda un double latte vanille, en prévision du long trajet qui l'attendait.

Aux abords de Seattle, l'ébène du ciel vira progressivement au gris ardoise. D'autres véhicules surgirent, mettant un terme à sa solitude... mais pas à sa peur. Elle était terrifiée à la perspective de retourner sur les docks, de se retrouver devant le conteneur. Elle n'avait aucune idée de ce qu'elle ferait une fois sur place.

Malheureusement, il était hors de question qu'elle fasse demi-tour. Ou cet écho ne la laisserait jamais en paix.

Elle se gara au pied du grillage qui délimitait le périmètre des docks. Contrairement à la veille, le portail était fermé.

Violet descendit de voiture et s'approcha de l'entrée, des nuages de buée cristallins s'échappant de sa bouche. Elle boutonna son manteau jusqu'au col et plongea les mains au fond de ses poches. Il faisait encore noir, beaucoup trop noir, et Violet sonda l'obscurité à la recherche d'un signe de vie.

Il n'y avait pas âme qui vive. Le silence était presque complet, à un détail près : les vibratos de la harpe.

Cela ne faisait qu'accroître le calme mystérieux qui planait sur les lieux déserts telle une nappe de brouillard.

Le cœur battant à tout rompre, elle atteignit le portail. Sans se l'avouer, elle priait pour qu'il soit fermé, et ce sans doute depuis qu'elle était partie de chez elle. Et maintenant, cet espoir l'emportait presque sur le cauchemar qui l'avait incitée à venir jusqu'ici.

La froussarde en elle songea à rebrousser chemin. Mais elle savait que c'était impossible. Ce n'était pas quelque chose qui passerait sans rien faire. Ça, au moins, elle en était sûre.

Ouvrir le portail fut un jeu d'enfant. Il n'y avait pas de verrou, du moins rien de comparable au cadenas qu'elle avait vu sur le conteneur. Elle posa la main sur le système de fermeture en U semblable à ceux que l'on trouvait dans les jardins et le releva. Il s'ouvrit sans résister.

Après avoir jeté un coup d'œil autour d'elle pour s'assurer que personne ne l'observait, elle poussa la grille en retenant son souffle, chaque fibre de son corps en alerte.

La grille s'entrebâilla. Elle était haute et plus lourde qu'elle ne paraissait, et Violet dut s'y reprendre à deux fois et se servir de son épaule pour se faufiler de l'autre côté.

Les vibrations de la harpe éclipsaient la rumeur sourde de la ville qui s'éveillait et le bruissement de l'océan. Elles étaient d'une irréalité aérienne. Sinistre. On aurait dit la bande-son d'un film d'horreur.

Sauf que ce n'était pas un film, se rappela Violet ; elle était là pour trouver un corps.

Elle se déplaça entre les conteneurs aussi discrètement que possible, guidée par l'écho fantomatique de la harpe. Quand le conteneur surgit devant elle, elle fut saisie par la même panique que dans son rêve. La peur de se retrouver prisonnière entre ces parois d'acier.

Elle tremblait comme une feuille, son corps imitant les ondes qui le parcouraient comme des impulsions électriques. Elle voulait s'approcher, mais ses pieds pesaient des tonnes.

L'écho mélodieux qui lui semblait, la veille encore, d'une étrange beauté, retentissait désormais à ses oreilles comme une menace.

Elle tendit une main hésitante vers le mur d'acier, redoutant de se brûler. Mais ses doigts effleurèrent le métal glacé sans que rien se produise. Son cauchemar lui avait permis de savoir ce qu'elle ressentirait à l'intérieur, et ce souvenir ne la quittait pas.

Les vibrations de la harpe lui écorchaient les oreilles ; l'écho la torturait.

Il y avait quelqu'un à l'intérieur. Et même s'il était trop tard pour sauver cette personne, son corps ne voulait pas être oublié.

Violet frissonna. Elle essaya de se retrancher dans la chaleur de son gros manteau. Mais rien ne pouvait plus la réchauffer ; elle était glacée jusqu'aux os.

Elle se demanda pourquoi elle avait rêvé de cette personne en particulier. Cela ne s'était jamais produit. Qu'est-ce que ce corps avait de si spécial pour qu'il s'immisce dans ses rêves ?

Violet ne savait pas quoi faire. Qui devait-elle appeler ? Qui pouvait-elle prévenir ?

Pas son oncle Stephen. Outre le fait que Seattle était en dehors de sa juridiction, il était son oncle avant d'être shérif, ce qui signifiait qu'il se sentirait obligé d'apprendre à ses parents qu'elle était venue jusqu'ici – seule et presque en pleine nuit – pour chercher un cadavre. Ils lui interdiraient à vie de quitter la maison.

Et, pour des raisons sensiblement similaires, elle ne pouvait pas non plus avertir Jay.

Mais elle ne pouvait pas rester les bras croisés. Elle ne trouverait plus jamais le sommeil si elle n'aidait pas la personne qui se trouvait là-dedans.

Elle tritura le téléphone dans sa poche.

Et si elle passait un coup de fil anonyme à la police ?

Mauvais plan : si elle utilisait son mobile, les flics n'auraient aucun mal à remonter jusqu'à elle. Et ensuite ils lui demanderaient comment elle avait su où se trouvait le corps. Une question à laquelle elle ne souhaitait pas répondre.

Elle devait dénicher une cabine téléphonique.

Elle rebroussa chemin en pressant le pas. Elle se coula par le portail entrebâillé, traversa la rue en courant et fouilla des yeux les alentours.

Elle ne tarda pas à en repérer deux. La plus proche était à la limite du parking des docks.

Elle parcourut la distance qui l'en séparait à petites foulées et décrocha le combiné. Il était froid et sale, mais c'est à peine si elle s'en aperçut. Elle étudia les instructions sur la face argentée de l'appareil. Elle n'avait pas de monnaie ; elle espérait que cela fonctionnerait.

Elle composa rapidement le numéro, les doigts tremblants.

Il y eut un léger déclic, puis une voix de femme demanda sèchement :

— 911, quel est le motif de votre appel ?

Violet hésita. «Je suis en train de commettre une erreur, pensa-t-elle. Je ferais mieux de raccrocher.» Son pouce s'attarda au-dessus de la fourche du téléphone.

— Ici le 911, merci de préciser la nature de l'urgence pour laquelle vous appelez.

Elle devait agir.

— Allo ? fit-elle d'une voix faible, son cerveau partant dans tous les sens, en quête d'une explication cohérente.

— Merci de préciser la nature de l'urgence pour laquelle vous appelez.

— Je... je crois que j'ai entendu quelque chose... quelqu'un, se lança Violet.

Ses mains tremblaient, et sa voix aussi.

— Ça venait d'un des conteneurs sur le front de mer.

— Vous avez une adresse ?

Violet fit non de la tête, bien que l'opératrice ne pût la voir.

— C'est près de la gare maritime. Au niveau de la jetée 52. Il y a un panneau qui indique *Docks du Puget Sound*.

Au bord de la panique, Violet jeta un coup d'œil autour d'elle, se demandant tout à coup quel genre de personne était capable d'enfermer quelqu'un dans un conteneur. Et si cette personne était toujours là ? Et si elle l'avait suivie ? Et si elle était en train de l'épier ?

Violet recula d'un pas, et la main qui tenait le combiné tomba le long de son corps tandis qu'elle s'efforçait d'écouter les bruits alentour. Le cordon en métal se tendit et Violet se figea. Elle entendait l'opératrice sans comprendre ce qu'elle disait.

Elle devait partir d'ici, mais pas avant d'avoir donné l'alarme.

Elle remit le combiné contre son oreille, prête à détaler à tout moment.

— C'est tout ce que je peux vous dire. Il y a quelqu'un là-bas, une personne… enfermée dans un des conteneurs. Un conteneur rouge. S'il vous plaît… envoyez de l'aide…

Elle chuchotait à présent, de crainte d'être écoutée.

— Comment vous appelez… ?

Violet raccrocha, saisie d'un mauvais pressentiment, et rejoignit sa voiture à toutes jambes. Une fois enfermée à l'intérieur, elle renversa la nuque contre le dossier et reprit son souffle tant bien que mal. Elle démarra le moteur et écouta son ronflement irrégulier en attendant que la chaleur reprenne possession du véhicule – et que son cœur ralentisse.

La voiture faisait désormais écran aux échos de la harpe, mais leurs vibrations se répercutaient jusque dans son âme. Elle entendit le hurlement lointain de sirènes. Elle se demanda si elles venaient dans sa direction… si elles venaient à cause de son appel.

Sans attendre d'en avoir confirmation, elle enclencha une vitesse et sortit du parking, étonnée que ses pneus ne crissent pas sous son coup d'accélérateur.

Et tandis que l'aube délavée envahissait le ciel, elle ne parvenait pas à s'ôter de la tête l'idée qu'elle venait de commettre une terrible erreur.

CHAPITRE 4

P arvenue à l'angle de sa rue, Violet poursuivit son chemin. Il était encore tôt et elle ne se sentait pas tout à fait prête à affronter les questions de ses parents sur ses activités matinales.

Son message disait seulement qu'elle allait faire un tour et qu'elle n'en avait pas pour longtemps. C'était un mensonge, ne serait-ce que par omission. Et aux yeux de ses parents, un mensonge restait un mensonge. Elle espérait qu'ils ne pousseraient pas l'interrogatoire trop loin.

Elle se rendit chez Jay et se gara à côté de son Acura noire étincelante.

Il l'avait achetée à l'automne, juste avant le bal de Homecoming[1], et Violet ne l'avait jamais vue autrement que parfaitement lustrée, ce qui n'était pas une mince affaire dans une région où il pleuvait quatre-vingt-dix-neuf pour cent du temps. Jay se rendait si souvent à la station de lavage que Violet craignait qu'il n'entame la peinture.

La mère de Jay lui ouvrit la porte, prête à partir au travail. Elle était infirmière à l'hôpital de la ville voisine, et

---

1. Fête annuelle qui marque la rentrée scolaire et qui se termine par un bal le soir du second jour. *(N.d.T.)*

ses horaires, bien qu'irréguliers, convenaient parfaitement à cette mère célibataire. Après le départ du père de Jay, Ann Heaton avait déménagé à Buckley, sa ville natale, pour élever son fils.

— Salut, Violet! Tu es bien matinale. Jay est dans sa chambre, il dort encore.

— Merci. Je suis contente de ne pas t'avoir réveillée.

— Oh, ma chouette, même si je ne travaillais pas le matin ce mois-ci, je ne suis pas du genre à flemmarder sous la couette. Même le week-end.

— Je ne sais pas si on peut vraiment parler de flemmarder quand il est 7 h 30 du matin, la taquina Violet.

Ses yeux se mouillèrent tandis qu'elle la suivait à travers la maison, et elle cligna des paupières pour atténuer les picotements familiers qu'Ann Heaton ne manquait jamais de lui donner. Elle possédait sa propre empreinte.

Violet s'en était ouverte à sa mère, mais personne d'autre n'était au courant. Cette dernière lui avait parlé du dilemme auquel les infirmiers devaient parfois faire face quand ils voyaient mourir un de leurs patients à petit feu.

Violet avait décidé de ne pas raconter à Jay que sa mère avait tué quelqu'un, même par compassion.

Aujourd'hui, des années plus tard, l'odeur de feu de bois qui accompagnait Ann s'était atténuée, et la sensation de brûlure qui lui piquait les yeux, pareille à la fumée d'un feu de camp, s'était estompée. Mais à peine.

— Tu m'as comprise, jeune fille, répliqua Ann.

Sur quoi elle lui donna une tape sur les fesses, le même geste qu'elle avait avec Jay chaque fois qu'il la cherchait. Puis elle lui adressa un clin d'œil.

— Tu peux monter, ma chère. Je suis sûre qu'il ne t'en voudra pas si tu le réveilles. (Ann attrapa son sac à main et ses clés de voiture sur le guéridon de l'entrée.) Tu peux lui dire que je ne serai pas là pour le dîner et qu'il doit se nourrir?

Sans attendre sa réponse, elle déposa un petit baiser sur la joue de Violet, et l'odeur de fumée les enveloppa toutes les deux... sauf que Violet était la seule à la sentir.

Violet la regarda partir. Elle appréciait Ann, elle pouvait même dire qu'elle l'aimait. Elle était excentrique et drôle, et accueillait toujours Violet à bras ouverts. Violet se sentait aussi à l'aise chez elle que sous son propre toit.

Elle posa son manteau sur le dossier d'une chaise et monta dans la chambre de Jay sur la pointe des pieds. Elle fit de son mieux pour ne pas le réveiller tandis qu'elle refermait la porte aussi discrètement que possible. Elle le regarda dormir et se sentit aussitôt revenir à la vie.

— Qu'est-ce que tu fais? marmonna-t-il.

Violet sursauta, prise la main dans le sac.

Jay roula sur le côté et ouvrit un œil, tout sourires.

— Viens par ici, grogna-t-il, soulevant le coin de son drap, l'invitant à le rejoindre.

Il avait une tête chiffonnée, ébouriffée et sexy.

Violet ôta ses chaussures et se glissa à ses côtés. Il passa son bras derrière son dos, l'attira contre lui. Son souffle était tiède, sa peau brûlante, et elle sentit qu'elle se réchauffait pour la première fois depuis le début de son escapade, malgré le chauffage qu'elle avait poussé à fond sur le trajet du retour.

Elle coinça ses pieds entre les jambes de Jay.

— Qu'est-ce que tu fais ici de si bonne heure?

Sa voix était encore ensommeillée mais sonnait comme du velours. Il lui caressa paresseusement le dos.

— Ça va mieux aujourd'hui?

Aucune de ces deux questions n'appelait vraiment de réponse; c'était seulement sa manière de lui faire savoir qu'il s'était inquiété.

— Je ne voulais pas te réveiller, murmura-t-elle en se laissant aller contre lui.

Elle avait souffert du froid et de la fatigue, et maintenant qu'elle se réchauffait, elle pensait être enfin capable de s'endormir, là, au creux de ses bras.

Il posa son menton sur le sommet de son crâne.

— J'étais déjà réveillé, lui assura-t-il. Tu n'y es pour rien.

Violet soupira. Elle se sentait tellement bien ici. C'était la première fois qu'elle éprouvait un réel bien-être depuis qu'elle était allée à Seattle la veille avec Chelsea. Jay lui procurait un sentiment de sécurité – *entre autres choses* – et c'était exactement ce dont elle avait besoin.

Elle ferma ses yeux secs et irrités à cause du manque de sommeil. Elle inspira à fond, s'enivrant de son odeur, et se détendit à mesure qu'elle s'abandonnait contre lui... et contre l'oreiller sous sa tête.

Alors elle s'endormit, enveloppée de sa chaleur.

Lorsque Violet se réveilla, Jay avait disparu.

Mais elle sentait encore son odeur sur les draps. Elle s'étira de tout son long et attendit plusieurs minutes avant de trouver la force de se lever.

Roulant sur le dos, elle fixa les fissures familières dans le plâtre défraîchi du plafond. La lumière du jour avait du mal à filtrer à travers les rideaux. Violet s'étira à nouveau, puis rejeta la couverture à contrecœur.

Elle trouva Jay assis à la table de la cuisine.

Il leva les yeux de l'ordinateur portable défoncé sur lequel il travaillait.

— Bonjour, ma Belle au bois dormant!

La mère de Jay, en dépit de ses innombrables qualités, faisait partie de ces gens qui entraient à reculons dans le xxie siècle. Elle était la seule femme que connaissait Violet

44

à ne pas posséder de portable, et elle refusait de payer une fortune pour avoir le haut débit, obligeant Jay à brancher son ordinateur d'occasion sur la prise téléphonique et à passer par un modem. Non parce que c'était au-dessus de leurs moyens, mais parce que Ann Heaton ne s'avouait pas vaincue sans avoir livré bataille.

— Merci de m'avoir laissée dormir, fit-elle avec un sourire endormi.

— Je me suis dit que tu devais être crevée.

— Ouais, désolée de t'avoir réveillé aux aurores. J'aurais mieux fait de rentrer chez moi.

Elle plissa le nez avec une moue qui se voulait adorable, dans l'espoir de se faire pardonner.

Jay lui répondit par un grand sourire, et soudain c'était lui qui était adorable.

— Tu ne m'as pas réveillé. Ta mère a appelé avant que tu arrives pour me demander si je savais où tu étais.

Violet tressaillit en regardant l'horloge. Il était midi passé.

— Oh, merde! Il faut que je la prévienne que je suis vivante. Elle doit être morte d'inquiétude!

— Calmos. Je lui ai téléphoné après que tu t'es endormie. Tout va bien.

Puis son visage devint sérieux.

— Alors? Où tu étais?

Violet se mordit l'intérieur de la joue. Elle n'avait pas prévu de le lui dire, mais elle ne pouvait pas mentir non plus. Il devinerait. Il finissait toujours par deviner.

Elle haussa une épaule, essayant de minimiser les choses.

— À Seattle.

À en croire son expression, c'était la dernière réponse à laquelle il s'attendait.

— Donc tu as fait le trajet aller-retour avant, quoi, huit heures? À quelle heure es-tu arrivée ici d'ailleurs?

— Un peu après 7 h 30, concéda-t-elle, en se mordillant de nouveau la joue.

— Franchement, Vi ? fit-il en se passant la main dans ses cheveux en bataille, signe que son incompréhension se muait en irritation. Pourquoi ? Tu avais oublié un truc là-bas ?

— On peut dire ça comme ça, éluda-t-elle, hochant la tête sans conviction.

Elle se détourna pour ne pas avoir à le regarder en face. Elle prit la bouilloire et la remplit.

— Humm, commenta Jay, sceptique. Quoi, exactement ?

Elle posa la bouilloire sur le brûleur et se retourna, appuyée contre la gazinière. Elle allait devoir tout lui avouer.

— J'ai senti quelque chose, Jay. À côté de la gare maritime, pendant que j'étais avec Chelsea. C'est pour ça que je ne voulais pas sortir hier soir. Chelsea ne comprenait absolument pas ce qui se passait. Je pense que je lui ai peut-être fichu la trouille, soupira-t-elle.

— Alors explique-moi pourquoi tu y es retournée, lui intima-t-il en la fusillant du regard.

Elle se massa les tempes avec le pouce et l'index, se couvrant les yeux pour ne pas voir l'inquiétude sur son visage. Même après plusieurs heures de sommeil, elle se sentait encore préoccupée… troublée. Et son état ne s'améliorerait pas tant qu'ils n'auraient pas trouvé la personne prisonnière de ce conteneur en acier et que celle-ci ne serait pas enterrée.

— J'ai fait un rêve et je devais y retourner pour savoir s'il y avait vraiment quelque chose – quelqu'un – là-bas.

Quand elle leva les yeux vers Jay, Violet vit les muscles de sa mâchoire se contracter.

— Et alors ? demanda-t-il, les dents serrées. Tu as trouvé quelque chose ?

La joue de Violet commençait à lui faire mal à l'endroit où ses dents la mordaient.

— N-non, balbutia-t-elle. Enfin, oui et non.

— Bon sang, Violet, qu'est-ce que c'est censé vouloir dire?

— Ça veut dire qu'il y a une personne enfermée dans un de ces monstrueux conteneurs sur les docks. Mais comme je n'ai pas pu pénétrer à l'intérieur, je ne peux toujours pas l'affirmer avec certitude. Du moins, je n'en ai aucune preuve.

Jay se leva d'un bond. C'en était trop pour lui.

— Tu es en train de me dire que tu t'es aventurée sur les docks en pleine nuit? Toute seule?

Violet sourit malgré elle; elle sentit les commissures de ses lèvres se relever sans pouvoir les arrêter.

— Exactement, le provoqua-t-elle, en avançant d'un pas. Quelque chose dans ce genre.

Elle s'approcha de lui. Il contenait son énervement à grand-peine. Elle posa les paumes sur sa poitrine et sentit son cœur battre la chamade.

— Tu penses que ça va aller? le nargua-t-elle, sans plus tenter de cacher son sourire. Tu veux t'asseoir? Tu veux que je t'apporte une tasse de thé?

— Bon sang, Violet, ce n'est pas drôle. Je te jure, tu cherches les ennuis quand tu fais des trucs pareils.

Elle laissa tomber ses mains le long de son corps, plissant les yeux. Elle avait cessé de sourire.

— Des *trucs* comment, Jay? De quels *trucs* tu parles? Il n'y a pas de *trucs*. Et ce n'est pas comme si j'avais voulu y aller; je n'avais pas le choix.

— Tu aurais dû m'appeler, souffla-t-il bruyamment. Je t'aurais accompagnée. Tu le sais.

La bouilloire se mit à siffler derrière elle.

— Oui, reconnut-elle. Mais tu en aurais aussi parlé à mes parents. Ou à mon oncle. Et je ne voulais pas qu'ils soient au courant. Ne leur dis pas, Jay, s'il te plaît.

De la vapeur s'échappait en chuintant du bec de la bouilloire, et Violet se retourna pour l'ôter de la gazinière.

Elle versa de l'eau chaude dans une tasse, laissant à Jay le temps de réfléchir à sa requête.

Avant le bal et avant qu'ils soient ensemble, la question ne se serait même pas posée ; Jay n'aurait jamais mouchardé. Les secrets de Violet étaient en sécurité avec lui, et réciproquement. Quoi qu'il arrive.

Mais maintenant tout avait changé et Violet était parfois étonnée de voir de quoi Jay était capable pour la protéger. Quitte à trahir un de ses secrets si sa sécurité en dépendait.

Elle porta sa tasse fumante jusqu'à la table et s'assit.

Jay se rassit de mauvaise grâce, penché en avant, les coudes sur ses genoux. Il la dévisageait avec circonspection. Puis il finit par soupirer :

— Je ne dirai rien… à condition que tu me promettes une chose.

Elle le regarda dans les yeux, son expression la faisant hésiter. La peur et la tendresse qui se mêlaient sur son visage semblaient incompatibles, mais elles la firent fondre et lui réchauffèrent le ventre. Il tendit la main vers elle et, lorsqu'elle la prit, elle se laissa glisser vers lui. Elle s'installa sur ses genoux tandis qu'il l'enlaçait. Il enfouit son nez dans son cou, inhalant profondément, comme si son odeur l'apaisait.

— La prochaine fois, dit-il d'une voix plus calme, tu m'appelles.

Elle acquiesça, satisfaite de savoir qu'il veillerait sur elle… et sur ses secrets.

Même après tous ces mois, cela continuait de l'étonner : elle était amoureuse de son meilleur ami.

Violet survécut à l'interrogatoire étonnamment bref de ses parents. Elle leur raconta qu'elle s'était rendue chez

Chelsea pour récupérer son portable, un mensonge minable que Jay et elle avaient inventé pour parer à toute éventualité. Finalement, elle aurait pu s'en passer. Ses parents voulaient surtout savoir comment elle se sentait, inquiets de l'avoir vue s'enfermer dans sa chambre la veille.

Plus tard ce soir-là, de retour dans sa chambre, Violet alluma la télé et passa en revue les chaînes locales à la recherche d'un sujet concernant la découverte d'un corps sur le front de mer. Ne trouvant rien, elle vérifia sur Internet. Elle craignait de voir apparaître la nouvelle au détour d'une page, de voir se confirmer ses peurs les plus sombres, d'apprendre que quelqu'un avait effectivement été assassiné et abandonné.

Tout comme elle craignait de ne rien trouver, de rester tourmentée indéfiniment. Dans un cas comme dans l'autre, cela l'anéantirait.

Au final, elle n'apprit rien qu'elle ne savait déjà en se réveillant ce matin-là.

La nuit fut éprouvante ; elle mit des heures à s'endormir, et dormit d'un sommeil trop léger pour être réparateur. Toutefois, elle ne rêva pas, et c'était déjà ça.

Quand le matin arriva enfin, Violet envisagea de rester au lit et de sécher les cours. Puis, à l'idée que sa mère rôderait toute la journée autour d'elle à s'inquiéter de son état, elle préféra se lever.

Elle parvint à s'extraire de son lit, exténuée et apathique. La douche la revigora un peu. En revanche, le petit déjeuner eut du mal à passer. Elle se sentait mal fichue. Et sa journée allait être un énorme calvaire, car elle savait qu'elle naviguerait au radar, et le lendemain aussi sûrement, et le surlendemain… Jusqu'à ce que le corps enfermé dans ce conteneur soit retrouvé et enterré.

Son téléphone vibra juste avant qu'elle ne franchisse le seuil ; elle avait un texto : *Regarde les infos.* C'était Jay.

Violet attrapa la télécommande et zappa d'une chaîne à l'autre. Elle ne tarda pas à trouver ce que Jay voulait lui montrer ; les chaînes locales ne parlaient que de ça.

Un garçon de quatre ans avait été découvert sur le front de mer à Seattle tard dans la soirée. À l'intérieur d'un conteneur. Ils diffusèrent la photo d'un blondinet au visage de chérubin.

Violet le reconnut ; elle l'avait déjà vu, aux informations, un fait divers qu'elle avait eu vite fait d'oublier. Un avis de recherche avait été lancé – plusieurs semaines plus tôt – à la suite de sa disparition en Utah.

À l'époque, elle se souvenait d'avoir pensé… vaguement… dans un coin de sa tête, que le garçonnet à l'écran lui rappelait son petit cousin Joshua.

Violet eut un haut-le-cœur. Elle dut s'asseoir au bord de la table basse pour ne pas perdre l'équilibre. Elle avait l'impression que l'air contenu dans ses poumons venait d'être entièrement aspiré.

Mais elle comprenait enfin le sens de son cauchemar de la veille.

Elle avait rêvé d'un petit garçon. Un petit garçon bien réel.

Cédant à l'épuisement, elle laissa tomber son sac à dos par terre et décida de ne pas aller au lycée.

Si seulement elle s'était trompée, si seulement ça avait été un animal mort, alors tout aurait été différent. Mais savoir qu'elle avait vu juste, qu'elle avait deviné ce qui – ou plutôt qui – se trouvait à l'intérieur de ce conteneur, c'était un fardeau trop lourd à porter.

Elle éteignit la télévision et retourna dans sa chambre. Elle ne connaîtrait pas la paix tant que la famille de l'enfant ne récupérerait pas son corps et ne l'enterrerait pas.

Elle s'assit sur son lit. Dans l'intimité de sa chambre, elle n'avait pas à se plier aux règles de la vie quotidienne, ordinaire.

Ici, elle pouvait se cacher sans faire semblant d'être autre chose que ce qu'elle était : une fille qui trouvait des cadavres.

CHAPITRE 5

Violet attendait Jay devant la cafétéria. Elle aurait voulu qu'il se dépêche. Elle avait besoin de lui pour ne pas sombrer, pour se sentir en sécurité.

Elle avait l'impression d'être à vif, à découvert. Sa peau lui faisait mal et elle grinçait des dents, la douleur lui remontant jusque dans la mâchoire.

Bien sûr, elle connaissait la cause de ces symptômes, mais cela ne les rendait pas plus supportables.

En entendant son nom, elle leva la tête. Elle reconnut Lissie Adams et son amie, bien que le nom de cette dernière lui échappât dans l'immédiat – son cerveau était trop embrumé, ses idées trop embrouillées. Mais cela ne l'empêcha pas d'essayer de décrypter l'expression de Lissie. Du dédain, peut-être. Du dégoût. Ou sûrement un peu des deux.

Visiblement, Chelsea et July, qui patientaient avec Violet, l'interprétèrent de la même façon.

— Dégage, Lissie, gronda Chelsea, s'interposant entre elle et Violet. Tu ne devrais pas être en train de manger avec ta meute?

— Reste en dehors de ça, Morrison. Ça ne te regarde pas. Je voulais juste parler à Violet.

Chelsea avança d'un pas, de sorte qu'elle se tenait presque nez à nez avec Lissie.

— Ouais, eh bien, Violet a autre chose à faire que d'écouter tes conneries. Et puis tout le monde sait que tu es vénère parce que Jay n'aime pas les traînées dans ton genre.

Lissie pinça les lèvres, puis pâlit. C'était un coup bas.

Violet ne se sentait pas la force de regarder ; elle avait trop de mal à se concentrer. Elle se détourna ; ses amies s'en chargeraient ; elles prendraient soin d'elle jusqu'à l'arrivée de Jay. À côté d'elle, une fille attendait sans rien dire. Violet avait le net sentiment qu'elle faisait partie de leur groupe, qu'elle aurait dû la reconnaître, mais là encore, la confusion qui l'affligeait l'empêchait d'en être certaine.

La fille sourit, un sourire amical, mais Violet lui tourna le dos, les yeux rivés au sol, essayant de se déconnecter de tout ce qui l'entourait. C'était plus simple comme ça, ne pas réfléchir, ne prêter attention à rien.

Et puis son cœur se mit à palpiter – le premier signe qu'il battait encore – quand elle entendit la voix de Jay. Elle ne leva pas la tête ; personne n'aurait pu deviner qu'elle avait remarqué son arrivée, qu'elle se réjouissait qu'il soit enfin là.

Elle écouta les bavardages aller bon train autour d'elle tandis que Jay la guidait vers la cantine, son bras autour de ses épaules. Elle entendit Chelsea et July. Elle entendit Claire glousser. Elle entendit la voix du nouveau – Mike, se souvint-elle –, aussi grave que celle de Jay. Et elle entendit Jay.

Elle n'entendit pas la fille, mais elle savait qu'elle était toujours là.

Tout ça n'était que du bruit pour Violet.

Un fond sonore.

Elle sentit Jay presser sa main. Elle était chaude. Elle lui donnait le sentiment d'être en sécurité et rattachée au monde.

Il lui rappelait qu'elle était toujours en vie.

Luxure

*D*ebout *devant son casier, elle faisait semblant de trier ses affaires, alors qu'en réalité elle scrutait les élèves qui se pressaient dans le couloir, craignant de le manquer dans la cohue de la fin de journée. Elle ne pouvait pas s'éterniser, ou elle raterait son bus. En même temps, elle s'en fichait. Elle rentrerait à pied, si c'était pour passer quelques instants de plus – même vite fait – avec lui.*

Rien que de penser à lui, elle sentait son cœur papillonner dans sa poitrine.

Négligemment, elle se pencha pour refaire ses lacets et avoir un meilleur angle. Et c'est là qu'elle l'aperçut.

Jay Heaton.

Son cœur entama un rythme joyeux tandis que son espoir renaissait. Il fallait qu'elle arrête de sourire bêtement ou elle allait passer pour une dingue.

Ce qu'elle voulait, c'était que Jay la remarque enfin. Elle lui enjoignit de regarder vers elle, de venir la voir, mais il continua à marcher droit devant lui, scrutant la foule à la recherche de quelqu'un d'autre. Que n'aurait-elle pas donné pour être cette personne! Rien que pour cette fois.

Puis le visage de Jay changea d'expression, et un sourire tellement doux qu'elle en oublia de respirer gagna ses yeux.

Il avait aperçu la personne qu'il cherchait. Son espoir fit long feu.

Violet Ambrose. Qui d'autre ? Voilà qui il attendait.

La jalousie s'enracina en elle, se propageant telle une maladie. Tout le monde l'avait toujours complimentée sur son physique. Mais où cela l'avait-elle menée ? Elle avait beau essayer, elle n'arrivait pas à faire en sorte que Jay la regarde avec ces yeux-là.

Sa mâchoire se contracta et elle serra les dents, tâchant d'imaginer ce que Jay pouvait bien trouver à cette coquille de noix vide, pourquoi il avait un jour décidé de la prendre pour « petite amie ». Violet Ambrose ressemblait à un zombie, à une morte vivante. Sa peau était grise, flasque, son expression… inexistante. Violet était creuse.

Or Jay ne semblait pas s'en apercevoir. Il la débarrassa de son sac à dos et, le bras passé autour de ses épaules, la guida à travers le hall avec une attitude protectrice.

Elle les suivit sur le parking à une distance raisonnable, s'efforçant de prendre un air détendu, de se fondre parmi les autres élèves. Il y avait tellement de monde qu'elle n'avait aucun mal à se noyer dans la masse, aucun mal à passer inaperçue.

Elle compta ses pas, s'appliquant à contrôler sa respiration et à ne pas lever la tête.

Un.

Deux.

Trois…

Quand ils atteignirent la voiture de Jay, elle ralentit, gardant ses distances afin de pouvoir le regarder ouvrir la portière à Violet. Son estomac se convulsa lorsqu'il se pencha pour déposer un baiser plein de tendresse sur son front. Elle leva la main et toucha son propre front glacé, tentant d'imaginer, encore une fois, ce que cela ferait d'être à la place de Violet…

Une minute.

Une semaine.

À jamais.

CHAPITRE 6

Six jours exactement après que Violet eut passé son appel anonyme, le petit garçon fut ramené chez lui et enterré par sa famille.

Six jours.

Elle pouvait presque dire, à la seconde près, quand la cérémonie avait eu lieu, quand il avait été libéré et qu'elle avait senti son fardeau disparaître. Elle était comme la princesse endormie d'un conte de fées délivrée d'un mauvais sort par le baiser du prince. Sauf que dans son conte à elle, le charme était rompu par les funérailles d'un enfant de quatre ans.

Mais ça y était enfin… elle tournait la page.

Trois jours plus tard, elle était de retour parmi les vivants, assise avec ses amis à la cafétéria, comme la fille normale qu'elle aurait toujours voulu pouvoir être. Mais elle ne pouvait s'empêcher de se demander où était passé son petit copain.

Apparemment, Jay et Mike étaient devenus quasiment inséparables depuis qu'ils avaient commencé à traîner ensemble, juste après que Violet avait découvert le corps sur les docks. *Inséparables* était peut-être exagéré, mais pour Violet, c'était tout comme.

Elle détestait être jalouse. Et d'un garçon par-dessus le marché.

Elle n'arrivait pas à savoir ce qui l'ennuyait tant. Jay avait le droit d'avoir des amis. Et ce n'était pas comme si elle n'appréciait pas Mike ; il avait l'air plutôt gentil. Elle le connaissait mal, voilà tout.

Et puis Chelsea l'aimait beaucoup. Ce qui en disait long sur le personnage… même si c'était seulement parce qu'il était ridiculement sexy. En bref, Mike semblait faire l'unanimité.

Et c'était peut-être ça le problème ; peut-être qu'elle se sentait mise à l'écart. Pendant que tout le monde était tombé sous le charme de Mike, Violet était en quelque sorte restée sur la touche.

Mais ce n'était pas ses amis qui l'inquiétaient. C'était Jay. Il lui manquait. Passer du temps seule en sa compagnie lui manquait. On aurait dit que partout où Jay allait, Mike le suivait.

Et là où Mike allait, Chelsea aussi voulait aller.

Ils formaient donc un drôle de couple à quatre, et Violet avait l'impression d'étouffer. Elle se sentait comme la cinquième roue du carrosse, la seule à ne pas raffoler de Mike.

Pire encore, elle avait l'impression grandissante de devoir se battre pour attirer l'attention de Jay. Elle n'avait jamais fait ça par le passé…

Elle se surprit à espérer en secret que Mike et Chelsea sortent ensemble une bonne fois pour toutes, histoire de pouvoir respirer.

— À quoi tu penses ? demanda Jay qui s'affala à côté d'elle.

Elle cilla, craignant que le dépit ne se lise sur son visage.

— À rien, mentit-elle en triturant sa salade.

— On dirait pas, intervint July, assise en face d'elle.

Violet la foudroya du regard pour la remercier d'avoir souligné l'évidence.

— Allez, insista Jay, lui donnant un petit coup d'épaule. Dis-moi.

Violet hésita, soudain embarrassée par ce manque d'assurance qui ne lui ressemblait pas. Dans sa tête, Mike était devenu « le petit ami de Jay ».

Comble de l'ironie, ce fut Mike qui lui évita d'avoir à passer aux aveux quand il se glissa à une place libre de l'autre côté de la table.

— Qu'est-ce que j'ai manqué ?

Son sourire nonchalant remonta jusqu'à ses yeux fauves, et même la fossette sur sa joue fit une apparition fugace.

Violet comprenait ce que Chelsea lui trouvait ; il avait vraiment un truc.

Assise à côté de July, Chelsea, qui s'était montrée inhabituellement silencieuse, s'anima aussitôt.

— Rien. On se demandait pourquoi tu mettais si longtemps, lui répondit-elle avec un sourire rayonnant.

Mike marqua une pause, ne sachant pas comment interpréter sa remarque, puis adressa un sourire timide à Jay.

— Alors je tombe à pic, on dirait.

Chelsea poussa un gloussement aigu, un son étrange qui faillit faire avaler Violet de travers. « Elle débloque complètement, pensa-t-elle, examinant Chelsea avec méfiance. Que quelqu'un revoie son traitement ! »

— Bref, déclara Chelsea, comme si elle avait été interrompue par l'arrivée de Mike plutôt que plombée par son absence. Et si on sortait tous ensemble ce soir ? On pourrait aller au ciné ?

Violet ressentit un pincement au cœur ; une sortie en groupe n'était vraiment pas ce dont elle rêvait. Elle poussa un soupir en se tassant.

Mais Jay intervint avant que Chelsea ne puisse annoncer le lieu et l'heure de la séance, donnant un petit coup de genou à Violet sous la table.

— En fait, Violet et moi avons déjà un truc de prévu ce soir. Rien que tous les deux. Mais peut-être qu'on peut reporter à ce week-end, proposa-t-il pour adoucir la déception de Chelsea.

Avant d'ajouter à voix basse à l'intention de Violet:

— Nous, il faut qu'on révise.

Violet poussa un nouveau soupir, complètement différent du précédent. En fin de compte, il ne l'avait pas oubliée. Et il ne la quittait pas pour un type aux superbes fossettes.

— Ça marche. Pas de souci, acquiesça Mike.

Sur quoi il mordit goulûment dans son sandwich, en engloutissant presque la moitié d'un coup. Le refus de Jay semblait le laisser indifférent, ce qui le rendit soudain un peu plus sympathique aux yeux de Violet.

Chelsea, en revanche, affichait une mine déconfite et se ratatinait à vue d'œil, et Violet se surprit à se sentir désolée pour elle.

Mais tant pis: elle n'allait pas rater une occasion de passer du temps en tête à tête avec Jay.

Violet reçut le premier appel alors que Jay la ramenait du lycée. C'était un indicatif de Seattle, mais le numéro ne lui disait rien. N'ayant pas la tête à chercher de qui il s'agissait, elle appuya sur *Ignorer*.

La personne ne laissa pas de message.

Jay déposa Violet chez elle, l'embrassant tendrement en lui promettant de revenir dès qu'il en aurait fini avec la liste de tâches que sa mère lui laissait chaque après-midi.

En général, cela se limitait à ramasser ce qui traînait et à sortir la poubelle, mais Jay étant l'homme de la maison, sa mère lui confiait parfois aussi un peu de bricolage. Il était devenu assez habile avec un tournevis et un rouleau de chatterton.

Tandis qu'il reculait dans l'allée, le portable de Violet se remit à sonner.

Elle regarda l'écran… c'était le même numéro.

Elle appuya une deuxième fois sur *Ignorer*, mais la personne ne laissa pas de message.

Debout sur le seuil, Violet regarda la voiture de Jay disparaître, tentant d'ignorer l'impression qui la taraudait depuis un peu plus d'une semaine. Elle en avait eu conscience malgré le brouillard dans lequel elle avait baigné en attendant l'enterrement du garçon. Elle éprouvait le sentiment désagréable de ne pas être seule, d'être suivie… épiée.

«C'est seulement ton imagination», se répéta-t-elle pour la énième fois.

Elle balaya l'allée du regard avant de se glisser à l'intérieur et de laisser tomber son sac à dos dans l'entrée. Sa mère était encore dans son studio – un cabanon reconverti dans leur jardin – en train de travailler, mais un message attendait Violet sur le plan de travail.

Un nom et un numéro de téléphone. Le même numéro que celui qui s'était affiché sur son portable. Visiblement, quelqu'un tenait à tout prix à la joindre, mais le nom que sa mère avait noté ne lui disait rien.

Elle empocha le papier, prit une cannette de soda et monta dans sa chambre pour savoir qui cherchait à la contacter.

Assise en tailleur sur son lit, elle parcourut la liste d'appels en absence avant d'appuyer sur *Appeler*.

Après deux sonneries, une voix de femme répondit:

— Antenne du FBI à Seattle. Qui cherchez-vous à joindre?

Violet écarta le téléphone de son oreille comme s'il venait de prendre feu. Elle raccrocha et le jeta sur son oreiller.

Qu'est-ce que c'était que *ça* ? Pourquoi est-ce qu'une personne du FBI l'avait appelée ?

Le sang afflua bruyamment à ses oreilles tandis qu'elle tirait le message de sa poche et relisait le nom.

Sara Priest.

Qui était cette Sara Priest ? Et pourquoi cherchait-elle à la joindre ?

Violet resta un instant sous le choc. Elle pensa à tous les membres des forces de l'ordre qu'elle avait rencontrés au cours de l'année qui venait de s'écouler.

Après l'échange de coups de feu le soir du bal, elle avait livré sa version des faits à la police. Elle s'était tellement répétée qu'elle avait perdu le compte des officiers et des inspecteurs à qui elle avait raconté son histoire. Elle avait même parlé aux procureurs chargés de poursuivre le second assassin, capturé vivant.

Mais *jamais* au FBI. *Jamais* à une dénommée Sara.

Elle se demanda si, de fil en aiguille, le FBI pouvait s'être intéressé à l'enquête. Mais pourquoi maintenant ? Un des coupables serait sans doute incarcéré à vie. Et l'autre était mort.

Qu'aurait-il pu se passer pour que ça change ? Avait-on découvert d'autres victimes ? D'autres filles portées disparues, enterrées et oubliées ? Mais si ça avait été le cas, les journaux en auraient forcément parlé.

Restait une autre possibilité, liée à un événement plus récent.

Elle passa rapidement en revue les raisons pour lesquelles c'était impossible.

Elle avait appelé d'une cabine, sans donner de nom, sans aucun témoin.

C'était forcément l'affaire des deux tueurs en série.

Son portable sonna de nouveau, la ramenant brusquement sur terre. Elle fit glisser l'appareil vers elle du bout du doigt, comme s'il s'agissait de quelque chose de repoussant… quelque chose dont il fallait avoir peur. Elle baissa rapidement les yeux vers l'écran.

C'était le même numéro.

L'impression que quelque chose lui échappait lui noua le ventre.

Elle eut brièvement envie de répondre afin d'être fixée une bonne fois pour toutes. Mais elle ne parvint pas à s'y résoudre et, à la place, repoussa le téléphone.

Elle décida que, pour l'instant, mieux valait rester dans l'ignorance.

CHAPITRE 7

Quand Jay passa enfin la chercher, Violet n'avait qu'une envie: prendre l'air. Elle était sur les nerfs d'avoir tourné en rond tout l'après-midi dans la crainte de recevoir un nouvel appel du FBI. Et même si elle avait mis son portable en mode silencieux, elle ne pouvait rien faire pour sa ligne fixe.

Les deux seules fois où la sonnerie retentit, elle faillit avoir une crise cardiaque.

Heureusement, ce n'était pas sa mystérieuse interlocutrice du FBI. Son père appela pour prévenir qu'il rentrerait tard du travail. Typique. Et Jay, qui ne parvenait pas à la joindre sur son portable, pour l'informer qu'il passerait la prendre à dix-huit heures.

Violet n'avait pas prévu de sortir, dans la mesure où elle pensait qu'ils devaient «réviser», mais Jay semblait avoir d'autres projets.

Elle attendait dehors quand il s'arrêta devant chez elle.

Il sauta de sa voiture pour lui ouvrir la portière. Violet le dévisagea d'un air soupçonneux; il se comportait vraiment bizarrement.

— Prête? demanda-t-il quand il reprit place derrière le volant.

— Ça dépend, répondit-elle. Où est-ce qu'on va ?

Il eut un large sourire, essayant de faire comme si de rien n'était, un peu trop impatient pour être crédible.

— C'est une surprise.

— Ah oui ? Et c'est quoi ?

Elle sentait déjà la tension s'envoler. Jay était une excellente distraction.

— Est-ce que tu comprends le concept de *surprise*, Violet ? Si je vendais la mèche, ça ne rimerait plus à rien.

— Je peux deviner ? insista-t-elle, tout à coup surexcitée.

Violet détestait les surprises. Petite, Noël et son anniversaire étaient une torture. Elle élaborait de longues listes alambiquées à l'adresse de ses parents, en général par ordre de préférence. Et après qu'elle les leur avait remises, tous les moyens – qu'il s'agisse de supplier, amadouer ou retourner la maison – étaient bons pour savoir ce qu'ils lui avaient acheté. Elle passait des heures à ratisser les placards et à explorer sous les lits à la recherche de leurs cachettes, pour chaque fois devoir se rendre à l'évidence : ils s'étaient encore montrés plus rusés qu'elle.

Une part d'elle – quoique toute petite – s'était même mise à redouter la période des fêtes. À tous les coups il s'agissait d'une bête réaction pavlovienne, déclenchée par le fait de savoir que, une fois encore, elle serait minée par son incapacité à attendre patiemment tandis qu'elle compterait les jours la séparant de la nuit où le gros bonhomme en costume rouge ferait son apparition annuelle.

Mais là c'était différent. Elle passait la soirée avec Jay, et quand ils étaient ensemble, tout ou presque, même une surprise, devenait supportable.

Il prit son temps pour considérer sa requête, et elle voyait à sa tête que cela l'amusait. C'était un travers que Jay adorait chez elle.

— Essaie toujours mais je ne dirai rien, répondit-il finalement.

— Et si je tombe juste ?

— Tu serais méchamment extraordinaire.

— Et si je ne trouve pas… ? fit-elle semblant de s'offusquer.

— Tu es de toute façon méchamment extraordinaire, Violet.

Il prit sa main, la pressa doucement contre ses lèvres.

Violet se sentit rougir. Elle savait gérer ses attaques, mais elle ne s'habituait toujours pas à ses démonstrations de douceur, de tendresse.

— Tu es pire qu'une fille, le charria-t-elle, mais ses mots sonnèrent comme un compliment et sa pique tomba à plat.

Jay se contenta de rire et reposa sa main sur ses genoux.

— Gare à toi, Vi. Nous n'arriverons jamais à destination si tu continues comme ça.

— Arriver où ? demanda-t-elle en haussant les sourcils.

— Bien tenté, mais tu ne m'auras pas aussi facilement…

Il ne pipa mot pendant tout le reste du trajet, feignant de l'ignorer, mais elle savait qu'elle l'avait eu. Puis il mit son clignotant et tourna, s'arrêtant sur un parking désert face à un lac. L'endroit était bizarrement choisi pour cette époque de l'année, d'autant que l'obscurité jetait un voile morbide sur la nuit glaciale.

Violet regarda Jay avec un drôle d'air.

— Qu'est-ce qu'on fait là ?

— Surprise.

Puis, attrapant un gros anorak sur la banquette arrière :

— À ta place, j'enfilerais ça.

Il descendit de voiture et ouvrit le coffre tandis que Violet se levait de son siège avec un haussement d'épaules, emmitouflée dans la veste en duvet. Les manches étaient bien trop longues pour elle, cachant le bout de ses doigts sous le tissu matelassé et doux. Elle avait l'impression d'être une enfant jouant à se déguiser avec les vêtements de son père. Mais elle fut contente d'être bien couverte quand Jay la rejoignit, une petite glacière dans une main, une couverture en polaire dans l'autre. Il affichait un sourire malicieux.

— Un pique-nique? s'étonna Violet, le regardant comme s'il avait perdu la raison. Il ne fait pas un peu froid? Et nuit?

Elle prit la couverture et Jay passa son bras autour de ses épaules pour la serrer contre lui.

— Je promets de te garder au chaud. Et bien éclairée.

Il l'entraîna en direction du parc. Jetant un coup d'œil à la pelouse qui descendait vers le lac, elle se pétrifia.

Son cœur s'arrêta et elle chercha à agripper la veste de Jay pour le tirer en arrière.

— Jay…, chuchota-t-elle, persuadée de se trouver face à un écho – un écho d'une beauté envoûtante.

— Tout va bien, Vi.

Il se pencha vers elle, lui chatouillant l'oreille du bout du nez.

— Moi aussi je le vois. C'est ta surprise. C'est moi qui l'ai fait.

Elle desserra son étreinte, retrouvant son souffle.

Jay la tira par la main et elle vit la splendeur de ce qu'il avait accompli. Rien que pour elle.

Cette fois, sa respiration se bloqua dans sa gorge pour une tout autre raison.

À ses pieds, un sentier lumineux cheminait à travers l'étendue herbeuse, délimité par des bâtons luminescents; ils avaient été plantés un par un à intervalles parfaitement réguliers, dessinant une courbe qui brillait dans le noir.

Visiblement, Jay n'avait pas chômé!

Près de la rive, sous un bouquet d'arbres au bout du sentier irisé, il avait installé plus que de quoi pique-niquer. Il avait créé un refuge, une oasis juste pour eux.

Violet secoua la tête, à court de mots.

Il avait accroché d'autres bâtons lumineux aux branches les plus basses, de sorte que ceux-ci se balançaient au-dessus de leur tête dans la brise qui montait du lac.

Sous la voûte des arbres, il avait installé deux chaises longues qui croulaient sous les coussins et les couvertures.

— J'avais prévu des bougies, mais le vent les aurait éteintes, alors j'ai dû improviser.

— Tu rigoles, Jay ? Ça déchire.

Violet était émerveillée. Il avait dû lui falloir une éternité pour tout mettre en place.

— Je suis content que ça te plaise.

Il l'escorta jusqu'à une des chaises longues et l'aida à s'asseoir avant de commencer à vider la glacière.

Elle s'attendait à moitié qu'il en sorte un pot de caviar de Bélouga, un plateau de fromages français et une bouteille de dom-pérignon. Voire une grappe de raisins qu'il lui aurait déposés sur la langue… grain par grain. Alors quand il se mit à déballer leur pique-nique, Violet éclata de rire.

Au lieu d'œufs de poisson hors de prix et de fromages puants, Jay avait apporté des Doritos et des tacos au poulet – les préférés de Violet. Et, à la place du raisin, des Oreo.

Il la connaissait mieux que bien.

Violet eut un grand sourire en le voyant sortir deux gobelets en plastique transparents et une bouteille de cidre sans alcool.

— Comment ? gloussa-t-elle. Pas de champagne ?

Il haussa les épaules en versant un fond de jus de pomme pétillant dans les gobelets.

— Je me suis dit qu'une arrestation pour conduite en état d'ivresse le ferait moyen.

Puis il leva son verre et le choqua contre le sien.

— Tchin.

Il l'observa attentivement tandis qu'elle buvait une gorgée.

Ils restèrent quelques instants sans mot dire. Les lumières oscillaient au bout des branches au-dessus d'eux, projetant des ombres dansantes. Le parc était paisible, endormi, tandis que les eaux du lac clapotaient près du bord. Sur l'autre rive, les lumières des maisons le long de la berge se reflétaient en ondulant sur la surface frémissante. Tous ces détails transformaient le petit parc en un lieu de rendez-vous hivernal romantique.

Violet prit un des tacos, étonnée qu'il soit encore chaud.

Jay la regarda mordre dedans.

— Tout est à ton goût, Vi?

Elle avala sa bouchée, reposa le reste.

— C'est parfait…

S'emmitouflant dans sa couverture, elle se dirigea vers la chaise de Jay. Elle se pencha sur lui, ses boucles formant deux rideaux noirs de chaque côté de ses épaules.

— *Tu* es parfait, dit-elle, puis elle l'embrassa, s'affalant sur lui.

Il émit un son rauque et l'attira à lui pour lui faire de la place.

Elle avait prévu de rester maîtresse d'elle-même mais perdit rapidement le contrôle. Sa respiration devint saccadée et elle se colla à lui en se tortillant. La chaleur entre leurs deux corps la gagna comme un accès de fièvre, la rendant fébrile et impatiente.

Soudain Jay l'arrêta, avant qu'ils ne puissent plus revenir en arrière, mettant entre leurs deux visages une distance microscopique.

— Tu as un goût de tacos.

Violet resta bouche bée tandis qu'elle tentait de calmer sa respiration.

— Pardon?

Elle cligna des yeux, essayant de reprendre ses esprits.

— Tu es sérieux, Jay ? C'est une critique ou quoi ?

— Bien sûr que non, répondit-il en secouant la tête.

— OK. Parce qu'en voilà une : *Je déteste quand tu arrêtes tout sans prévenir.*

Elle se redressa sur la chaise longue, les bras croisés sur la poitrine.

— Allez, Violet, ce n'est pas ce que je voulais dire.

Son regard flou ne la réconforta qu'à moitié. Mais elle était contente qu'il soit quand même un peu ennuyé.

— C'est juste que je voulais te parler... tu sais, avant qu'on ne soit trop *distraits.*

— Décidément, de nous deux, c'est vraiment moi le mec, lui lança-t-elle avec un regard noir avant de se ratatiner.

— Arrête. Ce n'est pas toi le mec.

Il la tira vers lui et referma ses bras sur elle. Il l'embrassa sur la bouche, sans se soucier du fait qu'elle restait de marbre. Mais elle avait beau être agacée, il était difficile d'être en colère. À cet endroit... maintenant. C'était vraiment magique.

Alors quand Jay s'empara des Oreo et agita le paquet sous son nez – une proposition d'armistice –, elle secoua la tête et soupira :

— Tu es impossible.

Elle le dit sans agressivité, et ne parvint pas à réprimer un petit rire convulsif lorsqu'il la regarda avec un grand sourire.

Il l'interpréta comme un signe de capitulation et se rallongea, l'entraînant avec lui jusqu'à ce qu'ils se retrouvent lovés l'un contre l'autre.

Violet prit un biscuit et sépara les deux étages en tournant, mangeant d'abord une moitié puis l'autre, comme elle le faisait depuis toute petite.

Jay attendit un moment avant de rompre le silence.

— Je sais que tu n'aimes pas en parler, mais je veux m'assurer que tu vas bien. Depuis cette journée à Seattle avec Chelsea, tu vis un truc difficile. Je ne t'ai pas posé de questions parce que je savais que tu avais besoin de temps pour y voir clair, mais maintenant… je me disais… enfin, que tu voudrais peut-être en discuter. Discuter de ce garçon.

Violet se figea. Le silence qui suivit aurait pu l'engloutir; il semblait s'épaissir à chaque seconde qui passait. Elle avait envie de dire quelque chose, n'importe quoi, juste pour dissiper ce blanc. Mais elle n'y arrivait pas. Elle avait perdu sa voix; les mots lui échappaient; ses pensées s'étaient égarées.

Elle ne voulait pas penser au garçon. Pas maintenant. Plus jamais.

Elle avait passé tant de temps à l'effacer de sa mémoire, tant de temps à le chasser de son cerveau, qu'elle n'était pas disposée à rouvrir cette porte, même à la demande de Jay.

Elle ignorait ce qui pouvait le pousser à lui demander ça.

Elle renversa sa tête en arrière, s'efforçant de trouver les mots justes, en vain.

— Je ne peux pas, finit-elle par dire.

Elle s'attendait qu'il insiste, qu'il cherche à la convaincre. Mais il n'en fit rien. Évidemment. Jay était Jay, et Jay ne la bousculerait jamais. Elle aurait dû le savoir.

Il sourit avec tendresse, de son sourire en coin, et le pouls de Violet se mit à palpiter sans retenue.

— OK, répondit-il, déposant sur ses sourcils un baiser aussi doux qu'un chuchotement.

Les doigts de sa main s'écartèrent sur sa hanche dans un geste rassurant. Allongés l'un contre l'autre, ils restèrent ainsi, à regarder le lac et les étoiles, à écouter la nuit, savourant tous les deux la chaleur de l'autre. Violet écouta le battement étouffé du cœur de Jay jusqu'à ce que sa propre respiration ralentisse, devienne régulière. Elle le laissa l'enlacer. Il l'embrassa, mais avec plus de retenue, plus de précaution qu'avant.

Même si elle détestait devoir mettre un terme à leur soirée, elle savait que l'un d'eux devait s'en charger.

— On devrait peut-être y aller, dit-elle finalement, sortant son portable pour regarder l'heure. Il sera plus de dix heures quand on va rentrer.

— On est obligés? bougonna Jay.

— Sauf si tu as une meilleure idée…, rétorqua-t-elle sur un ton suggestif, ne plaisantant qu'à moitié.

Mais elle savait que Jay ne mordrait pas à l'hameçon, même si elle en mourait d'envie. À la place, il rassembla les restes du pique-nique pendant que Violet pliait les couvertures et l'aidait à tout rapporter à sa voiture.

— Ça t'embête si on s'arrête chez Mike? Il m'a aidé à faire les courses cet après-midi, et il a oublié son portefeuille dans ma voiture.

Il glissa la glacière dans le coffre.

Violet soupira. Elle aurait aimé passer une soirée rien que tous les deux. Est-ce que c'était trop demander?

— Tu peux me ramener avant?

Il la regarda comme si elle était folle.

— C'est sur notre route. En plus, ça ne prendra qu'une seconde.

— Comme tu veux, marmonna Violet.

Elle ne claqua pas la portière, mais ça la démangeait.

Elle détestait être dans cet état, d'autant qu'elle n'était absolument pas censée avoir une réaction pareille… Bouder après un rendez-vous parfait à cause d'un arrêt sur le chemin du retour? Non mais qu'est-ce qui lui prenait?

Elle se comportait comme une enfant, mais c'était plus fort qu'elle. Lorsqu'ils s'arrêtèrent devant ce qu'elle supposa être la maison de Mike, elle croisa les bras sur sa poitrine, et quand Jay lui promit de revenir dans une minute, elle refusa de le regarder.

Sans se douter de la colère qui pleuvait sur lui, Jay la laissa là, montant le petit escalier du perron en deux grandes enjambées avant de frapper à la porte. Quand elle s'ouvrit, il disparut à l'intérieur.

C'est seulement lorsqu'elle se retrouva seule que Violet remarqua la maison, la petite bicoque délabrée où vivait le *nouveau petit ami* de Jay. La maisonnette était enfoncée dans les bois, au bout d'un long chemin de terre étroit qui lui assurait une intimité totale. Seule la lumière de la véranda était allumée, rompant avec l'obscurité qui planait sur la propriété. De grands arbres menaçaient d'engloutir la maison fatiguée. La peinture s'écaillait, et des moustiquaires rouillées étaient posées contre le perron branlant. Il y avait quelque chose dans cet endroit isolé, cette maison inquiétante et l'obscurité complète qui donnait des frissons à Violet.

Mais comme promis, Jay fut de retour en un rien de temps, et Violet fut soulagée de le voir réapparaître, bien qu'elle fût déterminée à observer son vœu de silence.

C'est alors que la jalousie, la vraie, vint lui siffler aux oreilles. La sœur de Mike, Megan, passa la tête par l'entre-bâillement de la porte et agita la main en direction de Jay. Même si Violet ne parvint pas à comprendre ce qu'elle dit, elle aurait reconnu entre mille le ton de sa voix, qui lui parvenait même avec la vitre fermée.

C'était la voix que prenaient les filles pour flirter avec Jay, la voix que Violet avait déjà entendue trop de fois. Son au revoir était un peu trop empressé, un peu trop chorégraphié, pour être spontané.

Violet s'aperçut aussi que la sœur de Mike était mignonne. Et presque simultanément, elle se rendit compte que celle-ci ignorait complètement qu'elle était assise dans le noir à les observer.

La fille leva un pied derrière elle. Le geste aurait pu paraître innocent, si ce n'est que Violet voyait clair dans son jeu : elle lui faisait le coup de la jeune fille charmante et faussement effarouchée. Sur quoi elle se remit à parler en entortillant une mèche de sa queue de cheval autour de son doigt, cherchant à éveiller l'intérêt de Jay.

Tout en ouvrant la portière, Jay se retourna pour lui répondre et le plafonnier s'alluma. Violet prit soudain conscience de ce que l'obscurité ne la dissimulait plus.

La sœur de Mike la vit.

Violet se mordit la lèvre et fit signe à Megan. Elle ressentit un soupçon de culpabilité en la voyant d'abord s'immobiliser, pareille à une statue, le pied en l'air, puis se ratatiner, son pied retombant sur le sol branlant de la véranda.

Jay adressa un sourire à Violet en montant dans la voiture, sourd et aveugle aux minauderies de la jeune fille.

— Tu vois ? Je t'avais dit que je ferais vite.

S'apercevoir que Jay ne semblait pas remarquer l'autre fille la rasséréna. Mais il n'allait pas s'en sortir aussi facilement ; elle était toujours furieuse contre lui.

Non seulement Jay avait un nouveau petit ami, mais voilà qu'il avait apparemment une nouvelle admiratrice.

Au moment où ils arrivèrent au bout du chemin de terre, Violet sentit les prémices d'une migraine planter ses griffes dans son crâne. Elle se massa les tempes, puis la nuque, essayant de chasser la tension du bout des doigts.

Deux phares venaient à leur rencontre sur la route, et quand Jay tourna, un pick-up rouge bifurqua à toute allure dans l'allée dont ils venaient de sortir. Le conducteur leur laissa à peine le temps de s'écarter.

Tandis qu'ils rentraient en silence, Violet essayait de se

convaincre qu'elle se comportait comme un bébé. Que Jay l'aimait. Elle et rien qu'elle. Pas Mike, ni sa sœur.

Et elle y croyait. Mais elle était encore déçue que leur rendez-vous ait été entaché par ce détour.

En attendant, elle sentait son mal de tête se calmer, s'atténuer avec chaque tour de roue, jusqu'à n'être plus qu'un désagréable souvenir.

Jay s'arrêta devant chez elle et l'embrassa. C'était un bon baiser. Et elle se laissa faire. En quelques instants, elle fut trop occupée pour se rappeler qu'elle essayait de lui en vouloir, trop distraite pour laisser s'exprimer ce ressentiment dont il ignorait tout, à son plus grand énervement.

Hébétée par cet au revoir passionné, elle en oublia de ne *pas* lui faire signe avant de fermer la porte.

Peut-être même qu'elle leva un pied timide derrière elle.

CHAPITRE 8

Violet déverrouillait sa portière quand une femme portant un tailleur à la blancheur éclatante sortit de nulle part.

La fin des cours venait de sonner. Les élèves envahissaient le parking et faisaient la queue sur les trottoirs devant les arrêts de bus, impatients de filer. Quelque part derrière Violet, une stéréo diffusait un morceau de country, faisant vibrer les vitres des voitures voisines avec ses basses.

— Violet ? Violet Ambrose ?

La femme semblait poser la question pour la forme ; elle avait l'air de savoir parfaitement qui elle était.

Par contre la réciproque n'était pas vraie ; tout ce que Violet savait, c'était que cette femme tranchait radicalement avec les élèves de White River, sans parler du personnel enseignant. Et puis Violet était certaine qu'elle se serait souvenue d'elle si elle l'avait vue au lycée. Et même si le garçon qui marchait derrière elle ne devait pas être beaucoup plus âgé que Violet, lui aussi jurait dans le paysage avec son tee-shirt noir délavé et son jean déchiré. Des cheveux raides, longs et sales, presque noir de jais, lui tombaient de biais devant les yeux, renforçant encore l'impression que sa place était plutôt sur un skate-park que sur le parking d'un petit lycée de province avec de la country en fond sonore.

Les mains dans ses poches, il fixait l'asphalte à ses pieds, sans jeter le moindre coup d'œil à Violet.

Violet retira sa clé de la serrure.

— Vous êtes bien Violet Ambrose ? insista la femme, attendant la confirmation de Violet.

— Euh, oui.

Elle avait piqué sa curiosité pour de bon.

La femme s'avança, lui tendant la main.

— Je suis Sara Priest. J'ai essayé de vous joindre.

Sara Priest ? Ce nom…

Sara Priest du FBI ?

« Oh non, non, non ! » pesta Violet à part elle.

Elle la scruta tout en lui serrant la main d'un geste mécanique, notant les détails de son apparence impeccable. Non seulement le tailleur immaculé et la queue de cheval parfaitement lisse, mais aussi son approche franche et directe. Elle respirait une assurance dont Violet se savait définitivement incapable.

— Je peux vous parler ? demanda Sara quand il devint clair que Violet n'avait rien à ajouter.

— J'imagine, céda Violet, jetant un coup d'œil autour d'elle pour voir si on les observait.

Elle essaya de penser à un prétexte – une bonne raison – pour ne pas avoir cette conversation tout de suite.

Elle en voulut soudain à Jay de travailler ce jour-là, s'en voulut d'être venue au lycée avec sa voiture.

Résultat, elle était coincée là. Toute seule. Avec l'agent du FBI Sara Priest.

Et merde !

Sur le trottoir, près de l'entrée du lycée, Violet aperçut Mike qui attendait son bus. Il lui fit signe, enthousiaste, un peu comme un jeune chiot. Elle se rappela son accès de jalousie puérile vis-à-vis de son amitié naissante avec Jay et la culpabilité la submergea. Violet leva la main et lui retourna son geste.

— Qui est-ce ? demanda la femme.

— Mike ? répondit Violet les sourcils froncés. Un nouvel élève.

Sara fit la moue, marquant une pause.

— Que savez-vous de lui ?

— Rien. Pourquoi ça vous intéresse ? demanda Violet avec un regain d'espoir. C'est pour ça que vous êtes là ? Pour parler de Mike ?

Tout à coup, parler de Mike Russo ne lui semblait pas une si mauvaise idée.

Mais Sara Priest n'était pas du genre à se laisser distraire.

— Absolument pas. Si je suis là, c'est pour parler de vous, mademoiselle Ambrose. Vous permettez ? demanda-t-elle, montrant la voiture de Violet. Nous pourrons discuter en privé.

L'estomac de Violet se noua. L'idée la traversa que personne ne lui avait montré d'insigne, et elle savait que ses parents n'apprécieraient pas qu'elle discute avec des inconnus, fussent-ils du FBI. Mais elle ne trouva pas le courage de faire autre chose que d'obtempérer.

Elle monta dans sa voiture, son cœur tressautant nerveusement. Elle songea à laisser Sara dehors, à verrouiller les portières et à démarrer. Mais avant même d'avoir pesé le pour et le contre, elle savait que cela ne servirait à rien. Ils connaissaient manifestement son nom et son numéro de téléphone. Ils savaient où elle allait au lycée et sûrement où elle habitait. Qu'est-ce qu'elle croyait ? Qu'elle allait échapper au FBI ?

Elle se pencha donc vers le côté passager et déverrouilla la portière, s'assurant en vitesse qu'il n'y avait rien de salissant sur le siège. Il n'aurait plus manqué que le tailleur de la femme ressorte taché de son épave rouillée.

Violet se demanda si le garçon aux cheveux noirs monterait aussi, mais à aucun moment il ne bougea ; il resta dehors, montant la garde en silence devant la portière de Sara.

« Bizarre », pensa Violet tandis qu'elle allumait le moteur pour mettre le chauffage. Elle espérait que la femme en aurait fini avec ce qu'elle avait à lui dire avant que la voiture n'ait eu le temps de chauffer.

— J'imagine que vous voulez connaître la raison de ma présence.

— Mmh, mmh.

Il valait mieux que Sara Priest n'attende pas d'elle de grands discours, car même pour prononcer ces deux syllabes – qui ne demandaient aucun effort d'articulation –, sa voix tremblait.

— Eh bien, il semble que votre nom figure dans un rapport d'enquête.

La femme épousseta d'une chiquenaude une poussière invisible sur son genou avant d'observer la réaction de Violet.

Le cœur de Violet tambourinait dans sa poitrine.

Il n'y avait que deux explications possibles. L'une était gérable. L'autre catastrophique.

Peut-être qu'ils avaient découvert le cadavre d'une autre fille quelque part.

Elle n'arrivait pas à croire qu'elle en venait à espérer une chose aussi terrible.

— Mmh, mmh…

Les coups à la vitre retentirent comme une explosion pour ses nerfs à vif. Elle sursauta violemment et se sentit aussitôt embarrassée par sa réaction.

Le nez de Chelsea était écrasé contre la vitre, déformant et enlaidissant son joli minois.

Violet descendit sa vitre en tournant la vieille poignée à la main, et Chelsea recula d'un bond avant que son visage ne soit avalé par la portière.

— Désolée de vous interrompre, déclara-t-elle sur un ton où ne perçait pas l'ombre d'un remords.

Elle jeta un coup d'œil malpoli à la femme assise à côté de Violet.

— Tu sais où est passé Mike ? demanda-t-elle avec sérieux. Je l'ai cherché partout. Il n'était pas à son casier après les cours, et je n'ai pas vu, comment déjà ? sa frangine.

— Il attendait son bus il y a encore une seconde, répondit Violet en roulant les yeux, exaspérée.

— Zut ! Je voulais lui proposer de le ramener.

À la façon dont elle remua les sourcils de haut en bas, « le ramener » impliquait beaucoup plus qu'un simple trajet en voiture.

Violet sourit avec satisfaction en voyant un gros bus jaune sortir du parking.

— Je crois que ta chance vient de te filer sous le nez, Chels.

Il ne restait plus qu'une poignée de véhicules sur le parking réservé aux élèves, dont ceux de Violet et de Chelsea, ainsi qu'un gros SUV noir qui ne pouvait appartenir qu'à Sara.

— Tant pis, soupira Chelsea. Alors à demain.

— Désolée, marmonna Violet quand Chelsea fut partie.

— J'ai seulement quelques questions à vous poser, reprit Sara comme si la conversation n'avait jamais été interrompue.

La poitrine de Violet se comprima douloureusement. « C'est parti », pensa-t-elle, espérant qu'il s'agirait des questions auxquelles elle avait déjà répondu des centaines de fois.

— Tout d'abord, comment saviez-vous que le corps se trouvait là-bas ?

Violet la fixa avec des yeux ronds. Elle ne savait pas comment répondre. C'était trop vague ; Sara ne lui avait pas donné assez de détails pour qu'elle sache de quel corps elle parlait.

Violet pensa au premier cadavre qu'elle avait découvert l'année précédente, boursouflé, abandonné près de la rive du lac. Elle ferma les yeux, essayant pour la millionième fois de débarrasser son esprit de cette image. Mais elle était trop nette, à jamais gravée dans sa mémoire.

— Je l'ai vu, balbutia-t-elle.

Sara changea de position sur son siège.

— Comment ça, vous l'avez vu ? demanda-t-elle, la dévisageant d'un air soupçonneux. Comment avez-vous pu voir le cadavre de ce garçon ?

Et voilà. Cela éclaircissait tout, et Violet ne pouvait plus se voiler la face.

Elle s'était trompée. Prudente ou pas, elle n'avait pas pris suffisamment de précautions. Tous les corps qu'elle avait trouvés l'année précédente étaient des filles.

Ils étaient au courant. Le FBI était au courant. Mais comment diable était-ce possible ?

Elle plongea son regard dans celui de Sara, tentant de la convaincre qu'il y avait méprise.

— Je… je crois que vous faites erreur. Peut-être que vous vous trompez de personne.

— Violet Ambrose ? C'est vous. Vous avez appelé le 911 depuis une cabine téléphonique il y a deux semaines.

Elle observa Violet, tout en retenue ; ses yeux se plissèrent juste assez pour laisser entrevoir son doute.

— Au cours de l'appel, vous avez dit à l'opératrice que vous aviez «entendu» quelque chose. Vous n'avez pas mentionné avoir vu quoi que ce soit.

Cela lui tomba dessus d'un coup. Elle commença à avoir le tournis. Elle fut prise de nausée.

Elle ferma les yeux, essayant de commander à sa tête d'arrêter de tourner afin de reprendre le contrôle de ses pensées.

Elle n'aurait pas dû appeler les secours. Qu'est-ce qui lui avait pris ?

Mais elle avait utilisé une cabine : cette conversation n'avait pas lieu d'être.

— Je ne sais pas de quoi vous parlez, rétorqua-t-elle.

Sa voix semblait minuscule et vide, sonnant comme un mensonge. Elle eut un haut-le-cœur. C'était un cauchemar, presque aussi terrifiant que celui avec le garçon.

Suivit un silence, et Violet lutta pour ne pas craquer. Elle devait trouver une échappatoire, même si cela signifiait devoir descendre de sa voiture et s'enfuie loin de cette femme qui avait réussi à retrouver sa trace.

— Écoutez, mademoiselle Ambrose, inutile de nier. Nous sommes remontés jusqu'à vous grâce aux caméras de sécurité des docks. Nous avons identifié votre plaque d'immatriculation. Et avec l'appel que vous avez passé, nous n'avons eu aucun mal à vous trouver.

Sara se pencha vers elle, ce que Violet prit pour une démonstration de compréhension, de compassion. Au lieu de quoi Sara Priest était intimidante.

— Ce n'était pas moi, se défendit Violet d'une voix éraillée.

— Nous savons toutes les deux que c'est faux. J'ai sur moi l'enregistrement de cet appel, si vous souhaitez l'écouter.

Elle sortit un petit magnétophone de la poche de sa veste.

Violet le regarda fixement, incapable d'enchaîner sur un autre démenti.

— C'est bien ce que je pensais, dit-elle en remettant l'appareil dans sa poche. Nous savons d'ores et déjà que vous n'êtes pas impliquée dans la disparition de ce garçon ou dans sa mort. Comme je vous l'ai dit, il y a des caméras. En plus, nous avons des preuves ADN qui vous disculpent. Alors voici ce que je vous propose. Je souhaite vous faciliter les choses. Tout ce que je veux, c'est vous poser quelques questions. Pas aujourd'hui, mais bientôt. Ce sera rapide, j'ai seulement besoin de savoir comment vous en êtes venue à (elle fit de nouveau la moue) « entendre » ce garçon. Et c'est une intuition qui n'engage que moi, mais je pense qu'il y a autre chose. Je pense que vous ne l'avez absolument pas entendu.

Violet cligna des yeux et s'efforça de mettre de l'ordre dans ses idées tandis qu'elle dévisageait Sara avec appréhension. Elle refusait de rien laisser transparaître de ce qui se passait dans sa tête.

Sara poursuivit sans attendre sa réponse :

— En fait, je sais sans l'ombre d'un doute que vous ne l'avez pas entendu. Vous avez appelé dimanche ; or le médecin légiste estime que la mort du garçon remontait au moins à deux jours quand nous l'avons trouvé.

Violet sentit de la bile refluer dans sa gorge. Elle allait vomir. Des gouttes de transpiration lui picotaient le front et la nuque comme des barbelés glacés.

Mais elle se refusait toujours à parler. Encore que ça n'avait plus grand-chose à voir avec un refus, puisqu'il lui semblait désormais physiquement impossible d'ouvrir la bouche.

Sara reprit, aucunement découragée :

— Et même si nous croyons que vous n'avez rien à voir avec la mort de ce garçon, vous vous trouviez sur place. Vous saviez où le trouver. Alors vous allez devoir répondre à quelques questions, que cela vous plaise ou non.

Violet ne desserrait pas les lèvres.

Un je-ne-sais-quoi dans son expression dut mettre la puce à l'oreille à l'agent du FBI, car elle finit par se taire. Elle dévisagea l'adolescente.

— Tout va bien ? demanda-t-elle.

La question en soi n'exprimait pas une inquiétude démesurée.

Violet hocha la tête.

— Ça va…, répondit-elle, mais elle s'arrêta net, à deux doigts de rendre son déjeuner.

Sara lui tendit sa carte.

— Il faudra que vous me parliez tôt ou tard. Appelez ce numéro demain et prenez rendez-vous.

Sur quoi elle sortit de la voiture et se dirigea vers le SUV noir d'un pas déterminé, le garçon sur ses talons.

Violet examina la carte de visite sans fioritures, caressant distraitement le sceau en relief doré.

Elle détestait le sentiment qui planait comme une ombre au-dessus de sa tête, l'appréhension qui lui laissait pressentir que quelque chose de terrible était sur le point de se produire. Elle priait pour que ce soit seulement dû à l'inquiétude d'avoir été démasquée et de devoir faire une déposition sur un événement dont elle n'aurait jamais dû être témoin. Un événement qu'aucune personne normale n'aurait jamais soupçonné.

Mais elle savait qu'il y avait autre chose. Il ne s'agissait pas d'une simple déposition. Quelque chose dans le discours de Sara Priest l'inquiétait.

Quelles que soient les questions que Sara prévoyait de lui poser, Violet avait l'étrange impression que si elle répondait honnêtement, Sara pourrait peut-être croire ce qu'elle lui dirait sur son don.

Mais Violet n'avouerait jamais à Sara Priest ce dont elle était capable. Elle n'avait pas l'intention de servir de rat de laboratoire au FBI.

CHAPITRE 9

Violet se retourna, serrant son oreiller et priant pour que ce qui l'avait tirée de son sommeil cesse une bonne fois pour toutes.

Elle fulmina. Depuis quand avait-elle le sommeil aussi léger?

Un rayon de lumière entra par sa fenêtre, baignant sa chambre d'une lueur pâle avant de disparaître aussi vite qu'il était venu.

Voilà. C'était sûrement ça qui l'avait réveillée.

Elle grogna et donna des coups de pied, rejetant sa couverture. C'était insupportable. Elle avait besoin de dormir!

La lumière réapparut, et maintenant que Violet avait les yeux grands ouverts, elle dut plisser les paupières pour ne pas être éblouie.

Elle s'assit au bord de son lit, se balançant d'avant en arrière, essayant de décider quoi faire. Quelqu'un cherchait à attirer son attention, mais elle était trop fatiguée et trop excédée pour s'en soucier.

Elle enfila son sweat-shirt, remonta le zip jusqu'en haut. Elle ne prit pas la peine de regarder par la fenêtre; elle n'avait pas de temps à perdre. Elle devait mettre fin à ce cirque avant que ses parents soient réveillés aussi.

Elle dévala l'escalier et déverrouilla la porte d'entrée. Les yeux plissés, elle sonda l'obscurité à la recherche de l'origine de la lumière, sans rien remarquer d'anormal.

Rien que la nuit. Et un froid polaire.

Elle posa le pied sur les lattes glacées de la véranda avec l'intention d'interpeller l'inconnu qui émettait ces signaux. Mais quelque chose l'en empêcha, et à la place elle attendit, retenant son souffle. Le tissu de son bas de pyjama en flanelle, qui lui tenait trop chaud à l'intérieur de la maison, lui paraissait maintenant désespérément léger. Un courant d'air glacial remonta le long de ses jambes. Elle frissonna, rentrant ses mains dans ses manches, et regretta de porter une simple paire de chaussettes en coton.

Le silence autour d'elle était assourdissant.

Puis soudain le flash de lumière vive réapparut, avant de disparaître de nouveau.

Violet cligna des yeux et recula légèrement, cherchant la poignée dans son dos. Elle referma les doigts dessus, s'efforçant de repérer l'endroit d'où avait surgi la lumière.

À nouveau elle voulut appeler, mais la voix lui manqua. Trop curieuse pour laisser tomber, elle résolut d'attendre le prochain flash. Si elle n'en trouvait pas l'origine et ne l'empêchait pas de se manifester, elle n'allait pas fermer l'œil de la nuit.

Elle n'eut pas à attendre longtemps. La lueur embrasa la nuit, lui agressant les yeux tandis qu'elle se forçait à ne pas cligner ses paupières.

Il ne lui en fallut pas davantage. Maintenant, elle était sûre d'avoir vu d'où venait le signal.

Elle lâcha la poignée glacée et descendit les marches du perron avec prudence.

L'éclair lumineux explosa de nouveau. Derrière sa voiture.

Elle s'approcha du véhicule en accélérant le pas, le contourna par l'arrière et, quand l'éclair jaillit de nouveau, elle s'arrêta net.

Cela venait d'un carton posé à côté de la portière du conducteur, dont les rabats étaient mollement rabattus vers l'extérieur.

Elle le fixa, interdite. Pourquoi émettait-il de la lumière ? Et qui pouvait l'avoir mis là ?

Elle tourna la tête vers les arbres qui entouraient sa maison, se demandant si elle était seule.

Puis elle reporta son attention sur le carton, avança encore d'un pas, ses sens trop engourdis par le froid pour qu'elle sente les graviers tranchants sous ses pieds. Elle se pencha au-dessus du carton, craignant qu'un nouveau flash ne l'éblouisse.

Il n'en fut rien. Mais elle aurait préféré. Elle aurait préféré être aveuglée plutôt que de voir ce qu'il contenait.

Violet fut assaillie par la tristesse et la nausée. Et la colère.

Ce carton avait été placé là à son intention.

Elle se demanda pourquoi elle n'avait pas compris plus tôt. L'appel des morts, un écho. L'étincelle intermittente. Il n'y avait pas que ses pieds que le froid avait engourdis. Son jugement aussi avait été anesthésié par la température glaciale.

Cela expliquait pourquoi elle avait été la seule à être réveillée. Et pourquoi elle s'était sentie obligée de remonter jusqu'à lui.

Elle regarda le minuscule chat noir au fond du carton. Sa tête pendouillait sur le côté dans une position qui faisait mal au cœur. Ses yeux verts sans vie la fixaient.

Violet poussa un soupir de soulagement à la pensée que ce n'était pas son chat. « Ce n'est pas Carl. » Puis elle eut honte de son égoïsme.

La lumière explosa de nouveau, lui grillant la rétine, et elle dut cligner des yeux à plusieurs reprises pour faire disparaître les taches rouges qui lui brouillaient la vue.

Elle se moquait désormais que quelqu'un puisse rôder dans les parages. Sa rage surpassait largement sa peur. Elle aurait voulu l'avoir devant elle, ce… monstre. Elle aurait voulu qu'il se montre. Elle le mettait au défi de se montrer.

La fureur inonda ses veines gelées, faisant fondre son indécision. Elle savait ce qui lui restait à faire. Et le plus tôt serait le mieux.

Elle ferma le carton, veillant à ne pas déranger le corps sans vie plus que nécessaire. La pauvre bête avait déjà suffisamment été dérangée comme ça.

— À présent il est l'heure de dormir…, murmura-t-elle.

C'était la prière qu'elle avait récitée pour chaque animal qu'elle avait enterré.

Le carton dans les bras, elle marchait d'un pas décidé sous la lune pâle.

— … que le Seigneur veille sur mon âme…

C'était la seule prière qu'elle connaissait.

Un éclair fusa sous les rabats du carton, de minuscules rayons de lumière filtrant par les interstices.

— … si je devais mourir avant mon réveil…

Elle atteignit l'entrée du cimetière que son père l'avait aidée à aménager quand elle n'était encore qu'une petite fille: le Clos noir. En pleine nuit comme maintenant, ce nom semblait plus approprié que jamais.

Pourtant elle n'avait pas peur. Pas ici. Jamais ici.

Un bruit blanc familier l'accueillit. Tous les animaux qui l'avaient un jour attirée jusqu'à eux, maintenant qu'ils étaient enterrés, émettaient un crépitement, une vibration apaisée.

Elle pénétra dans l'enceinte grillagée destinée à tenir à l'écart les charognards qui oseraient venir déranger ses âmes égarées. Elle s'agenouilla dans la terre à côté d'un trou, une petite tombe qui attendait d'accueillir son occupant. Il y avait toujours un emplacement d'avance dans le cimetière de Violet.

Elle frissonna, incapable de faire abstraction de la température inhospitalière.

— … que le Seigneur prenne mon âme.

Elle ouvrit le carton et l'inclina, laissant le petit cadavre raidi tomber au fond du trou. Elle se mordit la lèvre, essayant de ne pas penser à la mort de ce pauvre animal. Essayant de ne pas pleurer tandis qu'un nouveau flash de lumière blanche transperçait la nuit.

À genoux, elle recouvrit de terre le corps sans vie.

— Amen.

Quand elle eut terminé, elle s'assit sur ses talons. Elle sentait déjà la paix l'envahir.

Le chat se libérait… *la* libérait.

Violet ramassa le carton et se dépêcha de rentrer, sans regarder autour d'elle. Elle abandonna la boîte vide sur le perron avant de fermer la porte d'entrée, puis remonta dans sa chambre.

Elle se débarbouilla et se changea rapidement, afin de chasser la sensation désagréable qui continua de la faire frissonner bien après que le froid se fut dissipé. La certitude que quelqu'un avait voulu lui faire passer un message.

Mais quel était censé être le message, au juste?

Et surtout, qui en était l'auteur?

Colère

Cachée au milieu des arbres, la fille observait Violet. Elle ne regrettait pas de s'être habillée en noir – le gros anorak noir, le masque de ski qui lui couvrait le visage, les gants foncés. Non seulement elle avait chaud, mais en plus elle se fondait dans l'obscurité.

Elle n'avait absolument pas prévu de s'attarder dans les buissons et les arbres touffus qui entouraient la maison de Violet ; elle pensait repartir aussitôt arrivée.

Déposer son « cadeau » et s'en aller.

Mais Violet l'avait prise de court en sortant au milieu de la nuit. En la voyant, la fille était restée tétanisée, incapable de bouger... ou même de réfléchir calmement.

Elle avait eu peur que Violet ne la voie. Mais non.

À la place, Violet était focalisée sur autre chose, ce qui lui avait laissé le temps de réagir, de s'enfoncer un peu plus à l'abri des sous-bois, d'où elle pouvait observer sans craindre d'être découverte.

Avant de voir Violet, elle s'était demandé si elle n'était pas allée trop loin. Si le message n'était pas trop dur. Mais le simple fait de l'apercevoir avait ravivé sa haine. La colère qu'elle ressentait échappait à la raison... à l'entendement... à tout contrôle.

Elle ne savait pas trop comment Violet avait fait, mais elle s'était dirigée droit vers le carton. Et quand Violet avait tourné *la tête dans sa direction, scrutant la forêt, elle s'était baissée, roulée en boule, les bras serrés autour de ses genoux.*

Violet ne l'avait pas repérée.

Et quand elle avait relevé la tête, elle s'était aperçue qu'aucune des réactions de Violet n'était conforme à ce qu'elle avait espéré. Au lieu de la peur, elle avait vu de la colère. Au lieu d'être dégoûtée par l'animal mutilé, Violet semblait… calme.

Soudain, elle avait regretté de ne pas être allée plus loin. De ne pas avoir placé la barre plus haut.

Elle voulait la voir apeurée. Effrayée. Terrifiée.

La prochaine fois peut-être.

Tandis qu'elle regardait Violet se diriger vers l'arrière de sa maison avec le carton, elle avait cru voir ses lèvres bouger sous la lumière diffuse de la lune haut dans le ciel. Mais à qui pouvait-elle parler ? À elle-même ? Au chat mort ?

Puis Violet avait disparu derrière sa maison.

La fille s'était attardée dans les bois, se demandant ce que Violet pouvait fabriquer. Se demandant si elle ne devait pas en profiter pour s'enfuir, mais trop curieuse de voir ce que Violet allait faire ensuite. Et trop en colère pour partir tout de suite.

Elle haïssait Violet. Plus que jamais.

Encore plus qu'elle ne se haïssait elle-même.

Quand Violet avait reparu, le carton était vide. Où était passé le chat ? Est-ce que Violet l'avait balancé quelque part ? Enterré ?

Violet avait rapidement traversé le jardin en sens inverse, sans même jeter un regard autour d'elle.

À cet instant précis, la fille avait songé à sortir de sa cachette. Elle s'était demandé ce que ça ferait de lui faire mal, juste pour le plaisir de voir les émotions qu'elle mourait d'envie de lire sur son visage.

Elle s'était imaginée la frappant à mains nues. Lui griffant les yeux. Lui arrachant les cheveux.

Peur. Terreur.
Lui lacérant le visage.
Supplications. Prières.
Lui cassant le cou.
Capitulation.
C'était si doux de rêver.
Puis Violet avait fermé la porte de sa maison, la laissant seule avec ses fantasmes.

CHAPITRE 10

— À ton avis, pourquoi il ne m'a toujours pas demandé de sortir avec lui ? interrogea Chelsea en enfournant un nouveau chewing-gum dans sa bouche.

Elle en était à son troisième.

— Chut... l'avertit Mme Hertzog, un doigt sur les lèvres.

Chelsea fronça les sourcils en direction de la bibliothécaire puis baissa la voix, penchée par-dessus la table :

— Mike Russo. Comment ça se fait qu'il ne m'ait pas encore demandé de sortir avec lui ?

Mike était devenu le seul et unique sujet de conversation de Chelsea ces derniers temps, mais, ce jour-là plus qu'un autre, Violet s'en moquait. Cela lui évitait de penser à autre chose.

Elle n'avait parlé du chat à personne. Ni à Jay, ni à ses parents.

D'une certaine façon, l'incident l'avait transformée. C'était devenu son ignoble petit secret.

Chaque fois qu'elle se revoyait debout dans le noir, grelottant de froid, penchée sur la boîte qui renfermait le cadavre de ce chaton, Violet se rendait compte que sa faculté de retrouver les victimes abandonnées avait été utilisée contre elle. Le plus fort, c'est que l'auteur de cette abomination l'ignorait sûrement.

Celui ou celle qui avait déposé ce chat n'avait aucun moyen de savoir qu'il la réveillerait. Et il ne se doutait pas que l'écho émis par l'animal le marquerait aussi, d'une empreinte qu'il porterait à jamais. Cela signifiait que Violet le démasquerait.

Et elle supposait que celui qui avait fait ça était une personne qu'elle connaissait. Sinon, pourquoi déposer un chat mort à côté de sa voiture? Tôt ou tard, elle découvrirait forcément de qui il s'agissait.

L'ennui, c'était qu'elle n'était pas certaine de vouloir le savoir. Parfois, mieux valait rester dans l'ignorance. Pour sa tranquillité d'esprit. Pour sa sécurité.

Toutefois, si quelqu'un était capable de tuer un animal innocent pour faire passer un message, ou un avertissement, jusqu'où irait cette personne pour exprimer ses sentiments?

Plus que pour elle-même, elle avait peur pour Carl, pour ses amis, pour sa famille.

— Je t'ai déjà dit, Chels, laisse-lui du temps, chuchota-t-elle. Est-ce qu'il t'a appelée? ajouta-t-elle tout en connaissant la réponse – Chelsea aurait explosé de joie si ça avait été le cas.

— Non, répondit Chelsea d'un air abattu avant de faire claquer son chewing-gum, ce qui lui valut un froncement de sourcils de la bibliothécaire. Je ne comprends pas, poursuivit-elle, ignorant l'avertissement. Je lui ai fait des appels de phares énormes, y compris mes yeux de Marie-couche-toi-là. Qu'est-ce qu'il attend? Comment faire pour qu'il me remarque?

— Je suis sûre qu'il t'a remarquée.

— Tu sais ce que je veux dire, souffla Chelsea. Au fait, c'était qui, cette nana coincée et ce beau gosse ténébreux dans le parking hier soir?

Chelsea croisa les bras sur sa poitrine, scrutant Violet.

Violet sentit son estomac se nouer. Elle ne voulait pas parler de sa petite entrevue avec le FBI.

Il n'y avait qu'une façon de changer de sujet.

Elle poussa un soupir. Par chance, Chelsea était assez monomaniaque ces derniers temps.

— Bon, pour Mike, qu'est-ce que tu sais de lui?

Chelsea dressa l'oreille et se pencha vers Violet dès qu'elle entendit le mot magique : *Mike.*

— Rien d'intéressant. Il a une sœur en seconde, j'ai oublié son nom.

— Megan, dit Violet.

— Si tu le dis. Je sais qu'ils vivent avec leur père, Ed, qui est mécanicien chez Craft's Auto Repair au bord de la 410.

Chelsea se mordilla la lèvre.

— Je sais aussi que Mike est inscrit en anglais *et* en histoire, qu'il n'a manqué que deux jours l'année dernière et qu'il ne fait pas de sport. Oh, et ils déménagent souvent. Quatre établissements scolaires dans trois États différents en deux ans.

— Comment tu sais tout ça? Tu les espionnes?

— Tout de suite les grands mots! se récria Chelsea en se raclant la gorge. Disons que j'ai peut-être eu accès à son dossier scolaire. Andrew Lauthner passe ses heures d'étude au secrétariat pour gagner des crédits supplémentaires. Il a du mal à me dire non.

C'était un euphémisme. Andrew Lauthner était le seul et unique membre du fan-club de Chelsea. Il attendait qu'elle le remarque depuis le CE2.

— Je ne sais pas quoi te dire ; tu en sais déjà beaucoup plus que moi.

Violet secoua la tête et se remit à travailler.

Chelsea s'avachit sur sa chaise.

— Eh bien, rends-moi service et essaie d'en découvrir un peu plus. Je veux vraiment trouver un moyen de conclure avec lui au cinéma ce week-end.

Chelsea n'avait plus besoin de Violet ; elle était en roue libre.

— Je préférerais y aller seule avec lui, mais vu que Jay l'accapare en permanence, peux-tu au moins demander à ton copain de ne pas faire foirer mon plan ce coup-ci ?

— Je vais faire mon possible, Chels, répondit Violet à contrecœur. Mais je ne te promets rien.

Intérieurement cependant, Violet était d'accord avec Chelsea ; elle espérait autant qu'elle que Jay ne monopoliserait pas Mike ce week-end.

Chelsea était un sacré numéro. Semblable à une force de la nature irrésistible. À une tempête ou à une tornade. Ou à un pitbull.

C'était une chose que Violet admirait chez elle.

Et Chelsea avait réussi un tour de force.

À compter du moment où Jay avait suggéré qu'ils iraient peut-être au cinéma le week-end suivant, Chelsea ne l'avait plus lâché. L'horaire et le lieu avaient été choisis. Et l'invitation lancée.

Et, sans que personne comprenne comment, Chelsea avait réussi à tout saboter.

Elle n'avait pas annulé leurs projets du samedi soir ; seulement elle voulait rester en petit comité. Elle avait décidé que ce serait une sortie à quatre. Avec Mike.

Sauf que celui-ci ne verrait rien venir.

Lorsque la sonnerie retentit après la pause déjeuner du vendredi, tout le monde devait se retrouver pour la séance de dix-neuf heures le lendemain. Mais au moment où ils se séparèrent pour aller en cours, Chelsea mit son plan en action. Elle entreprit de faire éclater le groupe, et un par un, ils tombèrent comme des mouches.

À commencer par Andrew Lauthner. Le pauvre Andrew ne comprit pas ce qui lui arrivait.

— Hé, Andy, t'es au courant?

À en croire son expression, il n'était au courant de rien, sinon que Chelsea – *sa Chelsea* – lui adressait la parole. *Spontanément.* Violet devait se rendre en cours, mais elle mourait d'envie de voir ce que son amie manigançait.

— De quoi? dit-il, son grand sourire accroché à son visage comme si on le lui avait fixé avec du scotch.

— C'est mort pour le ciné. On annule tout.

Elle avança la lèvre inférieure avec une moue déçue.

— Mais je croyais que…

Il semblait perdu.

Violet aussi.

— … c'était d'accord il y a dix minutes…

— Je sais, fit Chelsea, parvenant à avoir l'air aussi surprise que lui. Mais tu connais Jay, toujours à l'ouvrir un peu trop vite. Comme par hasard, il a oublié de préciser qu'il travaillait demain soir et qu'il ne pouvait pas se libérer. (Elle regarda Violet et ajouta:) Désolée que tu l'apprennes comme ça, Vi.

— Et les autres? demanda Andrew, se raccrochant à cet espoir.

Chelsea haussa les épaules et posa une main compatissante sur le bras d'Andrew.

— Non. Finalement personne ne peut. Mike a des obligations familiales. July a un rencard. Claire doit réviser. Et Violet, ici présente, est privée de sortie. N'est-ce pas, Vi? demanda-t-elle, passant son bras autour des épaules de son amie.

103

Violet fut dispensée de confirmer, car visiblement Andrew renait tout ce que racontait Chelsea pour parole d'Évangile. Mais son expression pathétique donna envie à Violet de le serrer dans ses bras.

Le reste de l'après-midi se déroula sur le même mode ou presque, avec quelques surenchères : *Obligations familiales. Révisions en vue de grosses interros. Assignations à résidence.* Chelsea inventa des excuses à toutes les personnes qui avaient prévu d'aller au cinéma, y compris à Claire. Rien ne l'arrêtait.

Quand le samedi soir arriva, ils n'étaient plus que quatre… Violet, Jay, Chelsea et, bien sûr, Mike. C'était exactement ce dont Chelsea avait rêvé, et ce pour quoi elle avait travaillé d'arrache-pied.

Ils avaient décidé de prendre une seule voiture. Quand ils s'arrêtèrent devant chez les Russo, Violet fit mine de descendre pour monter à l'arrière avec Chelsea et laisser sa place aux grandes jambes de Mike. Jay la retint par le poignet.

— Où tu vas comme ça ? Mike peut voyager à l'arrière.

Violet se sentit rosir de satisfaction.

Mike sortit de chez lui et sauta d'un bond à bas du perron. Derrière les rideaux opaques, la lumière de la télévision tremblotait.

— Il arrive ! piailla Chelsea comme une fillette, secouant toute la voiture avec ses bonds.

Elle tapait des mains avec excitation.

Violet avança son siège au maximum pour laisser un peu de place à Mike. Il en aurait besoin, coincé avec Chelsea à l'arrière.

— *Salut, Maïïïke*, fit Chelsea d'une voix langoureuse tandis qu'il montait dans la voiture.

Dans sa bouche, ce ton sirupeux semblait complètement déplacé.

— Salut, lui répondit sobrement Mike.

— On dirait qu'on va rester entre nous, ronronna-t-elle.

— Ah bon ? Je pensais que nous étions toute une bande.

— Nan. Il n'y a que nous. Tous les autres se sont débinés.

Violet sourit à part elle en écoutant l'explication de Chelsea, sidérée qu'elle ait l'air aussi… sincère.

Mais Violet savait qu'il ne fallait pas se fier aux apparences. Et en voyant le regard que lui adressa Jay, elle comprit qu'elle n'était pas la seule.

Mike, en revanche, n'avait pas encore assez d'ancienneté pour comprendre le mode de fonctionnement tordu de Chelsea. Il y eut un bref silence, puis Violet aurait juré entendre un sourire dans sa voix quand il répondit :

— Cool.

«Ne parle pas trop vite, pensa-t-elle. Attends que Chelsea craque et décide de te sauter dessus dans une salle de cinéma bondée. À moins que ce soit ton truc». Elle réprima un sourire diabolique.

Puis elle se demanda si Jay lui sauterait dessus aussi.

Elle y comptait bien.

CHAPITRE 11

Ils s'arrêtèrent au Java Hut pour tuer le temps en attendant le début de la séance. Et le spectacle commença.

À ses débuts, à l'époque où tous les foyers n'étaient pas encore équipés d'ordinateurs, le Java Hut avait été un café Internet. Puis, le concept étant devenu obsolète, l'établissement avait réussi à rester ouvert en devenant le repaire des lycéens après les cours et le week-end. Désormais, en complément du café, le Java Hut proposait des burgers, des frites et des glaces, et des jeux électroniques en plus des ordinateurs. Et ce soir-là, comme souvent le samedi, l'endroit était bondé et bruyant.

Quand ils franchirent le seuil, Violet se demanda si elle s'habituerait un jour à l'attention que Jay suscitait partout où il allait. Il exerçait une force magnétique sur les filles – de tous âges – et Violet croyait comprendre pourquoi. Le fait qu'il ignorât tout de son charme le rendait très attirant.

Les serveuses étaient aux petits soins pour lui. Les caissières tardaient à lui rendre la monnaie, prolongeant le moment où leurs mains se frôlaient. Même les professeurs de sexe féminin se montraient plus souples avec lui... lui accordant des délais supplémentaires pour rendre ses devoirs et négligeant de lui demander des mots de retard.

Jay ne s'apercevait de rien, même quand Violet lui mettait l'évidence sous le nez. Il n'y voyait que de la «gentillesse» ou de la «conscience professionnelle». En attendant, Violet n'avait jamais droit à un dessert gratuit ou à un laissez-passer pour se balader dans le lycée pendant les heures de cours.

Elle s'attendait donc à voir quelques têtes se tourner à leur entrée dans le bar. Ce qu'elle n'avait pas prévu, c'était le pouvoir d'attraction conjugué qu'exerceraient Jay et Mike côte à côte. Même aux yeux des personnes qu'elles connaissaient, Violet et Chelsea devinrent instantanément invisibles.

Non contentes de repérer d'emblée les deux adonis, les filles se mirent à glousser derrière leur main et à leur faire signe.

Jay paraissait étranger à leurs simagrées, ou alors choisit de les ignorer royalement. Pas Mike. Il semblait ravi de l'intérêt qu'il suscitait.

Violet songea que Mike et Chelsea avaient un point commun : l'un et l'autre voulaient tenir la vedette.

— Je suppose que Chelsea n'est pas la seule à en pincer pour Mike, murmura-t-elle tandis que Jay l'entraînait vers le bar.

Jay jeta un coup d'œil vers Chelsea, qui rongeait son frein alors que trois filles du lycée étaient en grande conversation avec Mike.

Elle les surprit en train de l'épier, et Violet lui adressa un sourire désolé. Chelsea leva les yeux au ciel en guise de réponse. Elle se fraya un passage jusqu'à eux, l'air boudeur.

— Tu me prends des frites.

L'absence de tournure interrogative dans sa phrase avait quelque chose de rassurant. Elle était toujours la même. Abattue mais autoritaire.

— Tu jettes déjà l'éponge ? demanda Jay après que la fille au comptoir eut pris sa commande.

— Nan, je fais juste une pause. Je l'aurai à l'usure – ça va seulement prendre plus de temps que prévu.

— Regarde ce que je te disais ! s'exclama Violet en donnant une chiquenaude à Jay. Tu vois ? Tu as commandé un petit cornet, et elle t'en sert un grand. Et je parie qu'elle ne te fera même pas payer la différence.

Jay haussa les épaules et tendit ses frites à Chelsea. Violet attrapa son milk-shake.

— Il te suit ou quoi ? demanda Chelsea, se fourrant plusieurs frites à la fois dans la bouche.

Violet tourna la tête vers Jay : « Qui le suit ? »

Mais Jay n'était plus là ; il n'y avait qu'elle et Chelsea. Il était parti à la recherche de Mike pour trouver une table.

Violet lança un regard perplexe à son amie.

— Des fois, tu es vraiment bizarre. D'ailleurs de quoi tu parles ?

Le froncement de sourcils de Chelsea reflétait celui de Violet. Sa voix frémissait d'impatience.

— *Hou ? Hou ? Il y a quelqu'un ?* La table d'angle à droite. Le type de l'autre jour.

Violet se retourna. Une mer de visages bouillonnante défila devant ses yeux.

— Qui ça ?

— Le jour où tu parlais à cette femme après les cours.

Puis, exaspérée de devoir expliquer ce qui lui paraissait évident, elle ajouta :

— Le beau gosse qui poireautait à côté de ta voiture.

Prise de panique, Violet balaya la salle du regard.

Et elle le découvrit, qui l'observait. Ses yeux bleu foncé la transperçaient, la disséquaient. Était-il possible d'être en feu et de grelotter en même temps? Ou était-elle seulement anesthésiée?

Le garçon ne bougea pas de sa place. C'est à peine s'il montra qu'il l'avait vue. Seul un spasme imperceptible au coin de ses yeux trahit qu'il avait croisé son regard.

Violet jeta un coup d'œil vers Jay et Mike, qui revenaient vers elles. L'appréhension lui serra la gorge et lui tira une grimace.

Elle n'avait pas parlé du FBI à Jay. Elle avait peur qu'il ne s'inquiète. Ou qu'il ne raconte tout à ses parents. Ou peut-être qu'elle se sentait toujours responsable de tout ce qu'ils avaient vécu ces derniers mois... à cause d'elle.

Et maintenant ça. *Ici.*

Elle décocha un regard implorant à Chelsea: *Ne dis rien!*

Mais Chelsea ne remarqua rien. Mike était de retour, et elle reprenait du service. À sourire, flirter, charmer.

La vraie Chelsea avait disparu. Et c'était une bonne nouvelle pour Violet; son amie serait trop obnubilée par Mike pour faire une gaffe.

— Vous êtes prêts à décoller? demanda Violet en agrippant Jay par le bras.

— Hé, rigola-t-il en se libérant, il reste plus d'une heure avant le début du film. On va s'asseoir et terminer de manger.

Les jambes en coton, elle leur emboîta le pas, résignée. Elle s'arrêta brièvement pour regarder par-dessus son épaule. Mais le garçon n'était plus là.

Elle espéra qu'il avait décidé de la laisser tranquille. Mais elle en doutait.

Violet buvait son milk-shake en silence tandis que les autres mangeaient, discutaient et riaient autour de la petite table ronde.

Par chance, la sensation d'engourdissement qui l'avait paralysée à l'instant où elle avait vu l'ami de Sara Priest avait laissé place à l'indignation. Violet avait l'impression que l'on avait empiété sur son espace personnel, que l'on avait violé son intimité.

Elle avait les idées plus claires. Trop claires. Elle prenait peu à peu conscience de la situation. Les questions et les théories, les soupçons et les doutes se succédaient dans sa tête. Elle dévisageait les autres clients avec inquiétude et jetait des regards nerveux en direction de l'entrée.

Elle ne pouvait s'empêcher de se demander : « Qu'est-ce qu'il faisait ici ? Qu'est-ce qu'il veut ? »

Elle accueillit l'heure de partir avec soulagement. Elle se leva la première et joua des coudes pour sortir, impatiente de quitter l'espace confiné. Dieu sait comment, Jay parvint à la suivre.

Elle se sentit mieux une fois dehors, comme si elle pouvait à nouveau respirer. Jay et elle étaient déjà arrivés à la voiture quand Mike et Chelsea les rattrapèrent.

Chelsea arrêta un instant de sourire à Mike pour jeter un regard mauvais à Jay.

— Vous essayez de nous larguer ou quoi ? demanda-t-elle.

Pendant ce court laps de temps où Chelsea regardait ailleurs, Violet surprit l'expression de Mike tandis qu'il baissait les yeux vers elle.

Ce fut si rapide que quelqu'un qui n'aurait pas été en train de l'observer n'aurait rien remarqué. Mais Violet n'avait pas rêvé. Les coins de sa bouche s'étaient incurvés, des plis s'étaient formés au coin de ses yeux.

Et Violet en eut la certitude : *Chelsea lui plaisait.*

Dès que le regard de Chelsea revint se poser sur lui, Mike rougit et détourna la tête comme si elle n'existait pas. Ni Jay ni Chelsea ne s'en aperçurent.

Le ridicule de la situation eut raison de l'inquiétude de Violet, et elle ne put s'empêcher de se réjouir. Chelsea en faisait des tonnes pour attirer l'attention de Mike, sans se rendre compte qu'elle l'avait déjà.

Lorsqu'ils arrivèrent au cinéma, Violet se sentait beaucoup plus dans son assiette. Elle retrouva même de l'appétit… du moins pour du pop-corn et de la réglisse.

Au moment de pénétrer dans le vestibule sombre qui communiquait avec la salle, Violet hésita.

— Tiens, dit-elle en tendant son cornet de pop-corn à Jay. Tu peux me donner mon ticket ? Je vous retrouve dans cinq minutes, je dois aller aux toilettes.

À l'intérieur, il n'y avait personne à part elle, ce qui la rendait toujours nerveuse. Comme d'habitude, elle se demanda si on l'entendrait crier par-dessus les basses des salles de cinéma attenantes.

Elle s'efforça de ne pas penser à ce qui pourrait la faire crier tandis qu'elle se lavait les mains en vitesse. Puis elle se rua au-dehors, manquant de rentrer dans la personne qui attendait dans le couloir.

Elle tressaillit sous le coup de la surprise. Puis le jour se fit dans son esprit, et crier devint bien plus qu'une simple possibilité.

Encore fallait-il qu'elle retrouve sa voix.

— Qu'est-ce que tu fais ici ? demanda-t-elle au garçon en le foudroyant du regard, le menton levé. Tu me suis ou quoi ? Et ne me dis pas que tu es là par hasard. Je t'ai vu au Java Hut.

Il haussa les épaules, les mains enfoncées dans les poches de son jean crasseux.

— Je suis seulement venu te transmettre un message de Sara.

— C'est *elle* qui t'envoie?

Violet bomba le torse. Il était hors de question qu'elle lui laisse voir l'effet que le nom de Sara Priest avait sur elle.

Il fit non de la tête et ses cheveux noirs lui tombèrent dans les yeux.

— Pas exactement. Mais j'espérais que tu accepterais de me parler si je venais à sa place. Il faudra que tu la rappelles un jour.

L'indignation qu'elle ressentait diminua. Cela faisait des jours qu'elle ignorait les messages de Sara Priest.

— Dis-lui que je ne veux pas lui parler.

Elle essaya de forcer le passage, mais il la retint par la manche. Malgré elle, elle se laissa entraîner vers les portes de sortie. Cette partie du couloir était sombre, intime.

Il la regarda d'un air sévère.

— Écoute, Violet, c'est important, dit-il d'un ton calme.

Entendre son nom dans sa bouche l'arrêta net, et il eut soudain toute son attention.

— Tu ne peux pas faire comme si de rien n'était et espérer que ça passe. Sara a une mission et elle ne la prend pas à la légère. Et que cela te plaise ou non, tu en fais partie.

— Je ne vois pas ce que je peux lui apprendre qu'elle ne sache déjà, mentit Violet, reculant d'un pas.

Il y avait tellement de choses que Sara ne savait pas d'elle et que Violet n'avait aucune intention de révéler.

— Ce n'est pas à toi d'en décider.

L'expression du garçon se radoucit.

— Je te promets que cela devient plus facile avec le temps. Tu dois seulement apprendre à faire confiance à quelqu'un.

Une porte s'ouvrit non loin de là dans un murmure, mais Violet ne leva pas la tête. Qu'essayait-il de lui dire? Qu'il savait ce que c'était d'être... *différent*? Ou qu'elle pouvait se confier à lui?

Violet n'avait jamais été aussi perdue.

— Excuse-moi. Je suis avec mon copain.

Le garçon fronça les sourcils en écartant les cheveux qui lui tombaient dans les yeux, et il lui redonna la carte de Sara sans cesser de l'étudier.

— Appelle-la, Violet. S'il te plaît. On ne sait jamais. Si tu rends service à Sara, peut-être qu'elle pourra t'aider.

Puis il lui tendit un autre bout de papier avec un numéro de téléphone et un nom – *Rafe* – griffonnés au stylo bille.

— Si c'est plus facile, appelle-moi à la place, dit-il, ses yeux cherchant les siens. Crois-moi, je sais à quel point ça peut faire peur.

Violet fourra la carte et le numéro de téléphone dans sa poche. Elle n'était pas certaine de vouloir savoir si Rafe la comprenait réellement – ou ce qu'il faisait au juste pour Sara Priest.

Quand il s'éloigna, Violet resta plantée dans la pénombre du couloir et le regarda s'en aller.

Elle ferma les yeux, se demandant ce qu'il avait en tête quand il prétendait que Sara pouvait l'aider.

Lorsqu'elle les rouvrit plusieurs secondes plus tard pour s'assurer qu'il avait bien disparu, elle eut un temps d'hésitation.

Quelqu'un se tenait devant elle.

À l'autre bout du couloir, Jay l'observait. Sans rien dire.

Violet fut déconcertée par les reproches qu'elle lut dans son regard, et elle se demanda s'ils étaient réels ou si c'était seulement la projection de sa propre culpabilité.

Finalement, Jay pivota et retourna à l'intérieur sans l'attendre.

Au bord des larmes, elle retourna se réfugier aux toilettes et s'aspergea le visage d'eau, espérant effacer du même coup la culpabilité qu'elle ressentait à cacher des choses à Jay.

Pourquoi n'arrivait-elle pas à lui parler?
Pourquoi gardait-elle tous ces secrets?

Violet se glissa dans la salle de cinéma et chercha ses amis dans l'obscurité. Quand elle les repéra, elle se fraya un chemin jusqu'à eux, zigzaguant entre des pieds et des genoux en prenant garde de ne pas renverser de pop-corn ou de boisson.

Jay ne leva pas les yeux quand elle passa devant lui et s'assit dans le fauteuil libre.

Mais elle fut surprise, et soulagée, de sentir son bras se poser sur son épaule. Elle savait qu'il lui en voulait et ce geste inattendu était d'autant plus réconfortant, rassurant. C'était tout Jay.

Il se pencha à son oreille, sa voix à peine audible.

— Tu ne peux pas continuer à tout garder pour toi éternellement. Un jour ou l'autre, il va bien falloir que tu m'expliques ce qui se passe.

Refoulant ses larmes, elle hocha la tête contre ses lèvres tièdes. Il se rassit au fond de son fauteuil et continua à regarder le film.

De l'autre côté, Chelsea et Mike s'embrassaient à bouche que veux-tu.

CHAPITRE 12

Violet s'approcha du commissariat d'un pas hésitant. Elle était déjà venue là des dizaines, voire des centaines de fois. Son oncle Stephen étant le chef de la police de Buckley, elle aurait eu du mal à y couper. Pourtant, elle traînait les pieds.

Elle franchit les portes, pensant – *espérant* – trouver l'endroit désert un dimanche après-midi.

Mais il y avait presque autant d'animation qu'en semaine. Elle fut accueillie par plusieurs visages familiers et quelques empreintes également reconnaissables – le genre d'empreintes que certains membres des forces de l'ordre portaient parfois. Entre autres l'amertume du pissenlit grâce à laquelle elle sut immédiatement que son oncle se trouvait dans les parages.

— Salut, fit-elle en le voyant. Kat m'a dit que tu étais ici. J'espère que je ne te dérange pas.

— Pas du tout. Suis-moi. On va discuter dans mon bureau, dit-il d'une voix chaude où elle décela de l'inquiétude.

Quand il ferma la porte derrière lui, son visage devint franchement soucieux.

— Alors dis-moi. Qu'est-ce qui se passe? Tu détestes venir ici.

Il s'assit à son bureau.

— Ce n'est pas que je déteste…, protesta-t-elle avec une grimace.

— Arrête ton cirque, la coupa-t-il. Tu n'aimes pas venir ici et tu le sais. Alors qu'est-ce que tu fais là ?

Elle voulait lui raconter tout ce qui s'était passé… le petit garçon sur le front de mer, le chat déposé dans son jardin, les visites de Sara Priest et de Rafe. C'était pour ça qu'elle était venue. Elle avait besoin de son aide, de ses conseils. Or maintenant qu'elle était assise en face de lui, elle en était incapable.

Il était peut-être shérif, mais il était aussi le frère de son père. Et à cause d'elle, il portait désormais la marque d'un meurtre, peu importait que celui-ci ait été motivé par la légitime défense.

Est-ce qu'elle n'avait pas fait assez de mal à sa famille comme ça ?

— Je voulais savoir si je pouvais te prendre quelques-uns de ces autocollants que tu distribues aux enfants, dit-elle avec un sourire vacillant. J'aime bien embêter Jay avec le petit culte qu'il te voue.

Le rire de son oncle remplit son bureau exigu.

— Tu es machiavélique, Vi. Plus ça va et plus tu ressembles à ta tante Kat. Elle t'a donné des cours en cachette ?

Il plongea la main dans le tiroir de son bureau et en tira un petit tas de stickers métallisés qu'il poussa vers sa nièce.

— Comment veux-tu qu'il arrête d'être dans ses petits souliers avec moi si tu ne lui fiches pas la paix ?

Cette fois, le sourire de Violet était sincère.

— Laisse-lui le temps, oncle Stephen, il va se détendre. Il est juste reconnaissant, c'est tout.

Elle glissa les autocollants dans la poche de son manteau, s'en voulant de sa lâcheté.

Il l'accompagna jusqu'à la sortie et, une fois sur le trottoir, il la serra dans ses bras. Elle fit la grimace en sentant le goût amer lui empâter la bouche.

Il pressa ses lèvres sur le dessus de son crâne.

— Je t'aime, gamine. Si tu as besoin de parler, je suis là.

Violet leva les yeux vers lui. Il se doutait qu'elle n'était pas seulement venue pour les autocollants. Et elle regrettait de ne pas avoir été capable de se confier à lui.

— Merci, oncle Stephen. Moi aussi, je t'aime.

Elle ferma sa portière et démarra le moteur avant de sortir son portable. Elle passa en revue les appels manqués et appuya sur *Appeler*.

Au bout de deux sonneries, quelqu'un décrocha.

— C'est Violet Ambrose, dit-elle d'une voix tremblante mais résignée. J'imagine qu'il faut qu'on parle.

Violet se tenait à l'extérieur de son cimetière privé quand les premières étoiles percèrent le ciel d'encre. Derrière la clôture, les bois formaient un amas de silhouettes dans un camaïeu de gris. Elle frissonna. Le froid n'y était pour rien, son manteau lui tenait suffisamment chaud; mais le doute la taraudait.

Elle étudia les pierres tombales artisanales qui jonchaient le sol devant elle. Pourquoi certains cadavres – comme ceux-ci, comme les adolescentes l'année précédente et le petit garçon sur le front de mer – l'appelaient-ils à eux tandis que d'autres la laissaient tranquille? Pourquoi certains avaient-ils besoin d'être découverts au point de lui causer une douleur physique?

Violet soupçonnait que cela avait à voir avec la brutalité de leur mort. Avec des vies inachevées. Et il semblait, du moins jusqu'ici, que les corps humains exerçaient une attraction plus forte que ceux des animaux.

Mais elle n'avait aucun moyen de le vérifier; il ne semblait pas y avoir de règles fixes. Pour l'instant, elle se fondait seulement sur des suppositions et des théories.

Elle serra ses bras contre sa poitrine, attentive au crépitement que produisaient les cadavres enterrés dans son cimetière, le bourdonnement apaisé des échos mêlés les uns aux autres. Elle resta sans bouger et se laissa envahir par ce bruit satisfaisant.

Elle continuait à s'en vouloir de ne pas avoir eu le cran de parler à son oncle. Elle aurait dû tout lui raconter ; elle n'aimait pas garder tous ces secrets. Mais elle aimerait encore moins que sa famille – et Jay – doivent s'inquiéter pour elle. C'était déjà arrivé une fois, et l'idée de leur infliger à nouveau ce genre d'épreuve lui était insupportable.

Non, décida-t-elle. Elle se débrouillerait seule, du moins tant que c'était gérable.

Le corps du garçon avait été retrouvé ; elle ne pouvait plus rien pour lui.

Le chat mort était inquiétant et sinistre ; jusque-là, toutefois, c'était le seul message qu'elle eût reçu. Peut-être s'agissait-il d'une farce de mauvais goût.

Et Sara Priest n'était qu'un agent du FBI qui souhaitait lui parler. Violet était capable de parler à quelqu'un sans que ses parents la tiennent par la main, non ?

Alors pourquoi culpabilisait-elle autant de ne pas leur raconter ce qui se passait ? Pourquoi ses secrets avaient-ils un goût de mensonge ?

Et puis il y avait Rafe. Elle savait que Jay attendait toujours qu'elle lui explique la raison de sa présence au cinéma ; sinon pourquoi ne l'avait-il pas appelée aujourd'hui ? Il l'appelait toujours quand il était au travail.

Elle souffla sur ses doigts gelés et tourna le dos à son cimetière. L'herbe couverte de givre crissa sous ses pas.

Elle espérait que la journée du lendemain lui apporterait les réponses qu'elle cherchait.

CHAPITRE 13

Violet avait le ventre noué en montant dans l'ascenseur au niveau du parking souterrain. C'était le genre d'endroit à même de donner des cauchemars à une fille. En tout cas, à une fille capable de percevoir les empreintes chez les gens qui avaient tué.

C'était *exactement* le genre d'endroit que Violet évitait d'habitude – avec les hôpitaux, les morgues et les commissariats. Et les magasins où se fournissaient les chasseurs.

Mais elle n'avait pas vraiment le choix. Violet avait l'impression que Sara n'avait aucune intention de la lâcher.

La montée en ascenseur retourna son estomac déjà barbouillé et elle refoula un nouvel accès de nausée. Elle appuya sa tête contre l'acier froid de la cabine et prit plusieurs longues inspirations, se préparant à la déferlante de signaux sensoriels qui, supposait-elle, l'attendaient à sa sortie.

Quand les portes s'ouvrirent, elle se retrouva dans un petit vestibule avec détecteurs de métaux et agents de sécurité armés.

«Jusque-là, tout va bien», pensa-t-elle, se détendant à peine en constatant que ses sens n'étaient pas affectés. Les agents de sécurité n'avaient de toute évidence jamais eu à tirer sur personne dans l'exercice de leurs fonctions. Du moins personne qui soit mort.

Elle se traita de mauviette. Avec un peu de chance, elle serait sortie de là en un rien de temps. Elle pouvait y arriver.

L'immeuble de centre-ville ressemblait peu ou prou à ce que Violet avait imaginé. Elle avait vu suffisamment de films d'action pour avoir une image en tête, et cet endroit répondait assez bien aux critères. Peut-être un peu plus aseptisé que ce à quoi elle s'attendait, un peu plus calme et feutré, mais sinon très gouvernemental.

Ce qui ne la rassurait pas pour autant.

Après qu'elle eut présenté sa carte d'identité et franchi la sécurité, l'un des agents appela Sara Priest pour l'informer que son rendez-vous était arrivé.

Les talons de Sara claquèrent sur le sol du hall, et Violet fut une nouvelle fois frappée par son allure impeccable – l'incarnation de l'agent du FBI modèle. Ne lui manquait que les lunettes de soleil.

Elle se contenta d'un laconique « Je suis heureuse que vous ayez pu vous libérer » et la précéda sans un mot dans un couloir longeant des bureaux et des box. Les bureaux auraient été les mêmes dans n'importe quel immeuble, sauf que, dans celui-ci, Violet avait mal à la tête.

En entrant dans la petite salle de réunion, Sara ferma la porte derrière elles et tira une chaise pour Violet.

— Puis-je vous apporter quelque chose à boire ?

Violet, toujours furieuse d'avoir été harcelée, répondit grossièrement à cet effort de politesse. Elle fit signe que non, s'obstinant à garder les bras croisés.

Sara s'assit sur la chaise en face d'elle. Lorsqu'elle se pencha, sa veste s'entrouvrit et Violet aperçut la crosse du pistolet qu'elle portait dans un holster sous l'aisselle. La vue de l'arme porta un coup à sa détermination.

Il ne s'agissait pas d'un jeu et bouder n'allait pas lui faciliter les choses. Elle décroisa les bras.

— Mademoiselle Ambrose, puis-je parler sans détour ? En vérité, ce rendez-vous a moins à voir avec le meurtre d'un petit garçon qu'il n'a à voir avec vous. (Elle se pencha en avant et, les yeux plissés, examina Violet.) Votre déposition tombera sans doute aux oubliettes une fois archivée, dit-elle. C'est une simple formalité. Mais personnellement, je vous trouve fascinante.

Elle laissa planer les mots entre elles.

— Vraiment ? s'étonna Violet en s'éclaircissant la voix, faisant de son mieux pour prendre un air détaché.

Sara hocha la tête et se cala au fond de sa chaise, croisant nonchalamment les bras.

— Alors dites-moi : comment ça marche ?

Le cœur de Violet cognait contre ses côtes. Qu'est-ce que Sara pensait savoir au juste ? Comment pouvait-elle savoir quoi que ce soit ? Elle bluffait forcément.

— Je ne sais pas de quoi vous parlez.

Pourquoi avait-elle l'impression d'avoir déjà entendu cette phrase ? Chaque fois qu'elle était avec cette femme, elle la répétait mot pour mot.

— Je vous en prie, Violet. Vous le savez parfaitement. Alors que tout le pays était à sa recherche, vous avez trouvé ce petit garçon. Et puisque vous ne pouviez pas le voir, et que vous ne l'avez sûrement pas entendu, c'est que vous avez eu recours à un autre moyen. Un moyen… *spécial*… qui n'appartient qu'à vous.

Les poings serrés sous la table, Violet se pencha en avant. Elle essaya de prendre un air désorienté. Elle regrettait qu'il n'existe pas de prix pour les performances d'acteur dans la vie réelle, car elle se trouvait assez convaincante.

— Comme quoi ? souffla-t-elle.

Il y eut un moment de flottement pendant lequel Violet crut que Sara était peut-être en train de revoir ses certitudes. Puis Violet vit son doute se muer en quelque chose d'autre. Une nouvelle tactique.

— Très bien. Je vois que le sujet vous met mal à l'aise.

La voix de Sara se faisait soudain douce, trop douce, et Violet se méfia d'autant plus.

— Manifestement, nous sommes parties sur de mauvaises bases…

Violet ne put réprimer un bruit à mi-chemin entre le rire et le renâclement.

— Ah bon, vous croyez?

Sara la dévisagea. Puis sa lèvre s'incurva involontairement vers le haut. Un vrai sourire. Elle soupira et ôta sa veste, la suspendant au dossier de sa chaise. Elle secoua la tête, regardant Violet droit dans les yeux.

— Et si on recommençait de zéro? Et si je vous en disais un peu plus sur moi?

Elle parlait sur un ton plus authentique, à la limite de la sincérité.

— Vous êtes sûre de ne pas vouloir un verre d'eau ou quelque chose à boire?

— Ça va, refusa de nouveau Violet.

Même si elle sentait qu'elle se détendait, elle voulait surtout en finir au plus vite.

— Je suis un ancien agent du FBI qui travaille désormais en tant que consultante. Je suis ce que l'on appelle une profileuse, une psychocriminologue. En gros, cela veut dire que j'essaie de me mettre à la place du méchant. Dans cette affaire, je suis intervenue très tôt afin d'aider à remonter jusqu'au ravisseur, l'homme qui a enlevé le petit garçon que vous avez… *trouvé*, poursuivit-elle sans s'appesantir. Mon rôle est de découvrir quel genre de personne a pu faire ça – et pourquoi. En espérant éviter que cela se reproduise.

Violet était perdue. Elle avait besoin d'éclaircir un point important.

— Alors en fait, vous ne travaillez pas pour le FBI ?

Sara Priest fit non de la tête.

— Pas toujours. En ce moment oui, jusqu'à nouvel ordre. La plupart du temps. Mais il m'arrive de travailler pour la police ou d'autres organisations. Il m'arrive même, à de rares occasions, de rendre service à des détectives privés ou à des avocats.

Violet n'était pas certaine de comprendre ce que cela impliquait, si ce n'était que Sara Priest n'était *pas* un agent du FBI. Cela changeait tout, non ?

— Alors c'est pour ça que vous n'avez pas demandé à mes parents l'autorisation de m'interroger. Est-ce que ça veut dire que rien ne m'obligeait à venir ?

— Bien raisonné, la complimenta Sara. D'ailleurs, je m'attendais à moitié que votre oncle vous accompagne.

Devant l'expression surprise de Violet, elle haussa les sourcils.

— Eh oui, Violet, j'ai fait mes devoirs. Je sais que votre oncle est shérif. Mais le contrat est clair : je veux seulement vous poser quelques questions ; vous n'êtes soupçonnée de rien du tout. Et vous êtes venue ici de votre plein gré, à ma requête. Même si je dois admettre que j'ai un peu insisté.

— Et si je veux m'en aller ?

— J'espère que vous ne le ferez pas, répondit-elle, imperturbable. J'espère au moins que vous m'écouterez jusqu'au bout.

Violet continuait d'hésiter, mais maintenant qu'elle était là… Et puis une part d'elle avait envie de savoir ce qu'elle avait raté, ce qu'elle avait fait pour éveiller les soupçons sur son don.

— OK. Mais je peux vous poser une question?

— Allez-y.

— Pourquoi m'avez-vous demandé comment s'appelait mon ami, Mike Russo, sur le parking l'autre jour?

Sara n'eut pas besoin que Violet lui rafraîchisse la mémoire; elle savait de qui elle parlait.

— Il m'a semblé le reconnaître, répondit-elle sans hésitation. Je l'avais déjà vu quelque part. Une affaire qui remonte à deux ans, à l'époque où je faisais encore partie du Bureau. J'ai vérifié à mon retour, et je ne m'étais pas trompée. C'était lui.

Violet se pencha en avant, sa curiosité piquée au vif.

— Quelle affaire?

— Mike n'a rien dit… à propos de sa mère…?

Violet fit signe que non.

— C'est très triste. Votre ami a changé – vieilli – mais je ne l'oublierai jamais. Il y a un peu plus de deux ans, sa mère a disparu. Son mari était dévasté. Le pauvre, il a complètement perdu pied après la disparition de sa femme. Et ses enfants… (Elle soupira.) J'ai été surprise d'apprendre qu'il avait choisi de revenir dans la région. À sa place, j'aurais voulu rester aussi loin que possible.

— Et vous ne l'avez jamais retrouvée?

Violet croyait connaître la réponse. Elle se rappelait avoir entendu Chelsea dire que Mike et Megan vivaient avec leur père; elle n'avait jamais parlé de leur mère.

Sara confirma ses doutes.

— Non. Il y a eu une courte enquête, mais le mari a toujours pensé qu'elle avait mis les voiles. D'après lui, elle subissait une énorme pression qu'elle n'arrivait plus à gérer. Cependant, cette version ne m'a jamais totalement convaincue. Il y avait dans l'équation un ex-mari violent qui lui tournait autour, des années après leur divorce. Il lui rendait souvent visite à son travail. Je ne suis jamais parvenue à cerner le personnage et, faute de preuves, nous ne l'avons jamais inculpé.

— Et Mike et sa sœur, qu'est-ce qu'ils en pensaient?

Sara haussa les épaules, fit la moue.

— Rien, pour autant que je le sache. C'était de jeunes adolescents; il n'y avait aucune raison de les impliquer, d'autant que l'enquête sur l'ex-mari était au point mort. Je leur ai posé quelques questions, mais je ne pense pas qu'ils aient jamais deviné que j'avais des soupçons. (Elle jeta un coup d'œil à Violet.) Il n'empêche, j'aurais aimé en obtenir la confirmation.

Ce sentiment insidieux la reprenait, l'impression que Sara cherchait à lui faire admettre quelque chose, et Violet sentit qu'elle se renfermait, prenait ses distances. Elle n'était pas prête.

Sara dut s'en rendre compte, car elle changea de sujet.

— Dans le cadre de mon travail, je croise des gens qui fournissent des renseignements pour différentes raisons. En général, ces renseignements ne mènent nulle part; les gens voient ce qu'ils ont envie de voir. La plupart d'entre eux veulent seulement se rendre utiles, mais ils nous font perdre une énergie considérable. Le renseignement que vous nous avez donné, en revanche, s'est révélé extrêmement précieux. Merci, au fait. Parfois, le plus dur pour les proches est de rester sans savoir. Vous avez permis à la famille de ce garçon de tourner la page.

Violet garda le silence.

— Je sais que vous ne me faites pas confiance et je ne vous en veux pas. C'est ma faute, et je m'en excuse. Mais j'avais de bonnes raisons de vouloir vous retrouver pour vous parler.

(Elle se pencha de nouveau en avant; ses yeux n'étaient plus que deux fentes, et elle avait Violet dans sa ligne de mire.) Les personnes avec qui je travaille, Violet, possèdent des talents… inhabituels, si je puis m'exprimer ainsi. Des aptitudes peu conventionnelles que d'aucuns considéreraient comme inquiétantes. Certains de mes collègues pensent que ce sont des foutaises. Néanmoins, j'ai vu le résultat. J'ai vu ces gens à l'œuvre. (Elle attendit un moment avant de poursuivre:) Je comprendrais qu'une personne qui a sa propre façon d'appréhender le monde veuille garder ça pour elle, quelles que soient ses raisons. Des raisons qu'elle seule est à même d'apprécier.

La porte s'ouvrit avec un déclic discret, et Violet accueillit cette intrusion avec reconnaissance. Ses poings étaient serrés sur ses genoux, ses paumes moites.

— Nous sommes prêts dès que vous l'êtes, dit Rafe à Sara d'une voix posée, la tête passée par l'entrebâillement de la porte.

Si Violet avait trouvé qu'il ne semblait pas vraiment à sa place sur le parking de son lycée, elle ne l'avait pas encore vu dans l'univers amidonné des bureaux du FBI.

— On arrive dans une minute, répondit Sara.

Rafe referma la porte sans même jeter un coup d'œil à Violet.

Sara, elle, n'avait pas cessé de l'étudier.

— Est-ce que ce que je viens de dire a le moindre sens à vos yeux? demanda-t-elle.

Violet hocha la tête. Tout était parfaitement clair – y compris les sous-entendus.

Sara disait à Violet qu'elle savait qu'elle était spéciale. Qu'elle savait que personne n'aurait pu trouver ce garçon à part elle. Ou du moins presque personne, à en croire ce que Sara insinuait.

Mais Violet était seulement disposée à reconnaître une part infime de ce qu'elle venait d'entendre. Elle avait l'impression de se tenir en équilibre précaire au bord d'un précipice, à la limite de l'aveu. Et elle refusait de faire le grand saut.

— Bien. Pouvez-vous me rendre un service ? Ce ne sera pas long.

— OK, accepta Violet.

Violet fut surprise de voir Sara se lever et lui ouvrir la porte.

Elle la suivit. Elles n'eurent que quelques pas à faire dans le couloir avant de rentrer dans une autre pièce.

Rafe les attendait. Ses yeux bleus croisèrent rapidement ceux de Violet, fouillant son regard, la mettant à nouveau mal à l'aise.

Elle ne savait pas comment interpréter son expression. De l'inquiétude ? Ou peut-être seulement de la curiosité. Peut-être qu'elle était une sorte de bête de foire. Violet détourna la tête avant de se perdre en conjectures.

Rafe rejoignit discrètement l'angle opposé de la pièce, se faisant le plus petit possible. Il semblait à l'aise dans son rôle d'observateur silencieux, et avec tout ce qui se passait autour d'elle, Violet oublia presque immédiatement sa mystérieuse présence.

Violet comprit où elle était au premier coup d'œil, grâce aux séries et aux films qu'elle avait vus. C'était le genre de pièce, exiguë et sombre, équipée d'un miroir sans tain que la police utilisait pour l'identification des suspects. De l'autre côté, elle apercevait une salle bien éclairée.

Son mal de crâne reprit, anticipant ce qui allait suivre. Elle avait peur de ce que sa présence derrière cette vitre signifiait. Elle ne pensait pas être prête pour ce que Sara avait en tête. Sa poitrine se comprima et sa respiration se fit plus courte.

— Qu… qu'est-ce…? bégaya-t-elle, incapable de terminer sa question.

Sara lui toucha la main.

— Essayez de vous détendre, Violet, lui conseilla-t-elle d'une voix beaucoup plus douce à présent. Il n'y en a que pour une seconde. Nous avons un suspect dans l'affaire du meurtre du garçon sur le front de mer. Je vous demande simplement de le regarder. Dites-nous si vous remarquez… quoi que ce soit.

Elle secoua la tête, mais ne parvint pas à verbaliser son refus.

— Restez, implora Sara dans un murmure.

Violet n'émettant aucune objection – ou plutôt ne pouvant en émettre aucune –, Sara hocha le menton en direction de Rafe.

Il quitta la pièce et, moins de quelques secondes plus tard, cinq hommes furent escortés dans l'espace vivement éclairé de l'autre côté de la vitre.

Violet frémit.

Sara se tourna vers elle, la scrutant attentivement.

— Prenez votre temps, Violet.

— Je… ne peux pas.

C'était un murmure éraillé.

— Regardez-les, insista Sara avec douceur.

Violet était paralysée, ses yeux allant et venant entre les visages des inconnus. Plusieurs des hommes portaient des empreintes, certains plus d'une. Elle voyait des flammes lécher la peau de l'un d'eux, la chaleur miroitant au-dessus de lui. Un goût de cuivre emplit sa bouche, suivi d'une saveur amère qu'elle ne parvint pas à identifier. Et même à travers la vitre, elle distinguait plusieurs sons qui s'entremêlaient : le battement frénétique des ailes d'un oiseau, le moteur étouffé d'un gros camion, les pleurs d'un enfant.

Elle se demanda si elle ne sentait pas aussi des oranges.

Les stimuli étaient trop nombreux, et Violet était incapable de distinguer un visage du suivant. Elle ne parvint bientôt plus à isoler une empreinte d'une autre. Elles étaient toutes déformées, se confondaient toutes.

— Pouvez-vous me dire quoi que ce soit?

La voix de Sara lui semblait lointaine, comme si elle lui parvenait depuis le bout d'un tunnel. Priant pour ne pas s'évanouir, Violet fit signe que non. Elle avait l'impression que sa tête allait se fissurer sous la pression qui s'accumulait dans son crâne. Ses yeux passaient nerveusement d'un visage à l'autre.

Sara la saisit par les épaules. Ce contact lui fit l'effet d'une décharge, l'arrachant aux empreintes floues qui l'assaillaient et aux visages encore plus flous alignés devant elle. Elle laissa Sara la détourner de la vitre.

Violet savait que Sara se trompait sur la cause de son malaise.

— Je sais ce qui vous est arrivé l'année dernière, la rassura-t-elle. Et je sais que vous avez peur. Mais vous n'avez pas à vous en faire, Violet, je vous le promets. Vous n'avez absolument rien à craindre ici. Ils ne peuvent pas vous voir.

Violet cligna des yeux. C'était la seule réponse dont elle était capable.

— Dites-moi seulement ceci…, insista-t-elle, la défaite parfaitement perceptible dans ses mots. Est-ce qu'il est là?

Violet tourna à nouveau la tête vers la vitre, les yeux dans le vague, essayant de trouver quelque chose parmi l'amas de sensations enchevêtrées. Tentant de repérer un son, unique et solitaire, parmi les autres.

Les vibrations mélodieuses d'une harpe.

Elle ferma les yeux et fit signe que non.

« Dieu merci, se dit-elle, il n'est pas là. »

Violet resta aux toilettes plus longtemps que nécessaire.

Il y faisait frais, et dans cet espace elle se sentait plus en sécurité. Plus calme.

Elle était soulagée d'être arrivée à temps, avant de vomir pour de bon. Sara ne l'avait pas suivie et personne d'autre ne vint la déranger.

Violet se pencha au-dessus du lavabo et fit couler de l'eau dans ses mains, se gargarisant avant de recracher l'eau froide dans la vasque en porcelaine. Elle s'aspergea le visage, appuyant ses paumes contre ses joues rougies et fixant son reflet dans le miroir.

« C'est quoi mon problème ? se demanda-t-elle. Pourquoi est-ce que je suis si soulagée qu'il n'ait pas été là ? »

Elle avait l'œil hagard. Elle se *sentait* hagarde.

Elle savait pourquoi : elle n'était pas prête à se retrouver face à lui. Elle ne voulait pas savoir qui il était. Ou ce qu'il était.

Rafe l'attendait dans le couloir. il eut l'air soulagé de la voir, et Violet eut le sentiment qu'il avait monté la garde depuis qu'elle était entrée aux toilettes.

— Ça va mieux ? demanda-t-il doucement.

Violet jeta un regard autour d'elle et remarqua qu'ils étaient seuls.

— Sara a eu une urgence, répondit Rafe sans lui laisser le temps de poser la question. Elle m'a remis ça pour toi et veut que tu réfléchisses à ce qu'elle a dit, ajouta-t-il en lui tendant deux chemises en carton kraft avant de la raccompagner à l'ascenseur.

— Je ne peux…, essaya-t-elle de refuser.

Mais Rafe insista.

— Rien ne presse, Violet. Jettes-y simplement un œil quand tu te sentiras prête.

Son regard sombre soutint le sien, et elle se sentit tiraillée par la même impression que lorsqu'elle s'était retrouvée seule avec lui au cinéma... l'impression qu'ils partageaient un secret. Un secret dont ils n'étaient ni l'un ni l'autre prêts à reconnaître l'existence.

Un homme en costume passa à côté d'eux en les bousculant. Violet le suivit du regard. Son visage lui rappelait quelqu'un, mais impossible de savoir qui. Elle chassa cette impression de déjà-vu, trop épuisée pour y accorder plus d'importance.

Quand elle fut dans l'ascenseur, elle fut contente de voir les portes de la cabine se refermer devant Rafe.

Elle soupira, appuyée de tout son poids sur la rampe, le front contre la paroi en acier. Quand elle arriva au sous-sol, elle se dirigea en hâte vers sa voiture.

Devant elle, des hommes discutaient, et elle entendit malgré elle des bribes de leur conversation.

— Qu'est-ce qu'elle croyait... ?

— ... une perte de temps...

— ... un ramassis de conneries.

Violet n'y aurait prêté aucune attention s'il n'y avait pas eu autre chose ; les impressions caractéristiques qui entouraient leurs mots, qui entouraient leurs voix... qui les entouraient eux.

Des empreintes.

Des couleurs. Des sons. Des sensations... Entortillés comme des fils.

Des battements d'ailes. Des flammes. Les cris d'un enfant.

Elle regarda leurs visages en passant à leur hauteur, se concentrant pour ne pas trébucher.

Leurs costumes lui faisaient l'effet de déguisements. Elle les rhabilla mentalement. Chemises à carreaux. Tee-shirts. Jeans délavés.

Ne manquait que l'homme du couloir, celui dans lequel elle était rentrée avant de prendre l'ascenseur.

C'était eux. Les «suspects» qu'on lui avait présentés. Des agents du FBI. Tous sans exception.

À quoi cela rimait-il? Est-ce que c'était une plaisanterie? Une mauvaise blague? Un test?

Elle se demandait s'ils la reconnaissaient. S'ils savaient qui elle était. Ils ne semblèrent pas remarquer sa présence.

Elle leur lança un dernier regard en montant dans sa voiture. Les mains tremblantes, elle boucla sa ceinture. Elle démarra et quitta le bâtiment sans regarder où elle allait. À ses yeux, toutes les rues du centre-ville se ressemblaient.

Sara l'avait-elle piégée pour confirmer les soupçons qu'elle avait sur ses capacités? Violet avait-elle réussi le test? Échoué?

Elle serra les dents, sans comprendre pourquoi elle se sentait en colère et trahie. Elle aurait dû se moquer de ce dont Sara la croyait capable – ou pas. Et il était hors de question qu'elle serve de cobaye à des expériences.

Elle avait à nouveau des vertiges, le ventre pris de violents spasmes.

Elle tourna à un carrefour et s'arrêta sur un parking bondé, sans se soucier de l'absence de places libres. Elle ouvrit brusquement sa portière et se pencha pour vomir sur le bitume, ignorant l'employé qui l'observait d'un œil soupçonneux depuis sa cahute.

Elle pensa aux paroles qu'elle avait entendues sur le parking.

Perte de temps. Conneries.

«C'est clair que c'est des conneries», pensa-t-elle, furieuse. Au moins eux n'y croyaient pas. C'était déjà ça. Peut-être que ce serait pareil pour Sara.

Violet se redressa et s'essuya la bouche sur sa manche, tentant de se débarrasser du goût infect qui lui collait à la langue.

Peut-être qu'ils allaient enfin la laisser tranquille.

Sauf si…

Mais elle ne voulait même pas l'imaginer.

Et si elle n'avait pas échoué du tout?

Si elle venait au contraire de réussir le test?

CHAPITRE 14

Violet fouillait le réfrigérateur à la recherche de quelque chose à manger, cherchant un moyen d'oublier ce qui s'était passé dans les bureaux du FBI.

Elle essayait de ne pas penser à ce qu'elle avait dit et à ce qu'elle avait tu. Elle s'efforçait de ne pas tenir compte de ce qu'elle avait perçu et de ce qu'elle avait entendu sur le parking. Mais surtout, elle faisait tout son possible pour ignorer les idées que Sara avait plantées dans sa tête.

Sa mère arriva à temps pour l'empêcher de mettre le réfrigérateur à sac. Elle ne fit aucun commentaire sur l'heure qu'il était, ni sur le fait qu'elle n'avait pas appelé pour dire où elle se trouvait et quand elle rentrerait, ce dont Violet lui fut reconnaissante.

— Attends, laisse-moi faire, dit Mme Ambrose avec un sourire en passant devant elle.

Violet attendit de voir où cela les mènerait. Sa mère n'était pas à proprement parler une femme d'intérieur. Et la cuisine ne figurait pas parmi les mieux cotées de ses maigres aptitudes ménagères. Pourtant, elle étonna Violet en émergeant du réfrigérateur avec une boîte d'œufs et une barquette de bacon.

— Et si ce dîner se transformait en petit déjeuner ?

— Super, acquiesça Violet. Tu veux un coup de main ?

Sa mère la chassa d'un grand geste, comme quand elle était petite et traînait toujours dans ses pattes.

— Ouste. Va t'asseoir. Ce n'est pas tous les jours que j'ai l'occasion de cuisiner pour ma fille.

« C'est le moins qu'on puisse dire », pensa Violet en s'asseyant et en posant son menton dans sa main.

— En fait, maman, ça ne tient qu'à toi. J'habite toujours ici, tu sais ?

Sa mère lui jeta un torchon à la figure et se mit à farfouiller dans les tiroirs, perdue dans sa propre cuisine. Violet l'observa, amusée de voir sa frustration grandir tandis qu'elle retournait encore et encore les mêmes tiroirs.

— Le fouet est rangé sur le plan de travail, finit-elle par intervenir pour la tirer d'affaire. Dans le pot en céramique... le pot que tu as fabriqué.

Sa mère laissa retomber ses mains le long de son corps.

— Merci, soupira-t-elle.

Mme Ambrose était une artiste de génie, un talent perdu au fin fond de leur obscure petite ville. Ses tableaux, ainsi que ses esquisses, embellissaient les murs de leur maison. Mais elle excellait surtout à pétrir la glaise, créant des pots, des vases et des bols en céramique disséminés un peu partout chez eux.

Violet, elle, avait un autre talent. Un talent dont, apparemment, le FBI avait l'usage... enfin, une consultante du FBI.

Elle refoula cette pensée tandis que sa mère posait devant elle une montagne d'œufs brouillés, de bacon et de toasts. C'était fou comme un menu d'enfance préparé par sa mère avait le don de lui remonter le moral.

Elle mangea à toute vitesse. Il n'y avait pas le feu, mais chaque bouchée calmait son estomac. Sur le trajet du retour, la nausée avait laissé place à une sensation désagréable de vide. Comme si elle avait eu un trou à la place du ventre.

Violet ne s'était pas rendu compte qu'elle était absorbée dans ses réflexions jusqu'à ce qu'elle entende la voix de sa mère et remarque qu'elle était assise juste à côté d'elle.

— Tout va bien? demanda-t-elle alors que Violet engloutissait une autre bouchée.

— Impeccable, répondit Violet avant d'avaler son verre de lait d'un trait. C'est exactement ce qu'il me fallait. Merci, maman.

— Je t'en prie. Mais ce n'est pas ce que je voulais dire. Ma question était: est-ce que toi, tu vas bien? Tu as l'air préoccupée.

Sa mère lui caressa les cheveux, enroulant une longue boucle autour de son doigt avant de la libérer. Elle la regardait avec un air compréhensif, engageant. Cela faisait une éternité que Violet ne s'était confiée à personne.

Elle aurait dû se douter que sa mère la percerait à jour. Sa mère, apparemment, savait toujours quand quelque chose la tracassait.

Violet soupira, prête à remiser le problème dans un coin de sa tête, à garder ses inquiétudes enfouies. Mais, à la place, elle s'entendit demander tout à trac:

— Pourquoi ça a toujours été un secret? Tu sais... le truc... que je fais avec les cadavres? Pourquoi toi et papa semblez en faire un secret d'État?

— *Hum*, dit sa mère, hochant la tête comme si elle comprenait parfaitement. Je me demandais quand tu poserais la question.

— Ah bon?

— Eh oui. Je suis surprise qu'elle ne soit pas arrivée plus tôt. L'année dernière – avec tout ce qui s'est passé –, j'ai pensé que tu voudrais en parler. Mais tu n'as jamais abordé le sujet. Tu as toujours été très forte, à essayer de tout garder pour toi. Je suis contente que tu veuilles en discuter, ajouta-t-elle avec un sourire affectueux.

Violet eut soudain terriblement envie de retirer sa question, d'oublier qu'elle l'avait posée.

— Nous n'avons jamais eu l'intention d'en faire un secret, Vi. Nous voulions te protéger, évidemment, mais nous voulions aussi te laisser le choix. De le dire à qui tu voulais, d'en dire autant que tu le voulais. Et quand. Ce n'était pas à nous d'en décider. Que les gens sachent – ou non –, cela nous va, du moment que c'est ce que tu veux.

Elle souleva sa tasse, une jolie petite tasse ancienne, et avala une gorgée de thé.

Violet réfléchit. Ce n'était pas exactement ce à quoi elle s'attendait. Sans en démêler la raison, elle croyait qu'elle était censée garder son secret, le protéger.

— Et mamie? Elle en a parlé à quelqu'un?

Elle se demandait soudain comment ses prédécesseurs s'étaient arrangés avec cet héritage. À commencer par sa grand-mère, dont elle savait qu'elle avait eu le même talent.

Sa mère leva les sourcils, puis elle éclata de rire.

— Ta grand-mère le disait à qui voulait l'entendre, et même parfois à qui ne voulait pas. Un jour, elle m'a raconté que son professeur l'avait renvoyée chez elle parce qu'elle s'était vantée de trouver des animaux morts. Évidemment, fit-elle en caressant la joue de sa fille, ta grand-mère n'est jamais tombée sur un corps humain.

— Alors à ton avis, pourquoi est-ce que tu n'en as pas… hérité?

Sa mère haussa les épaules, un sourire taquin aux lèvres.

— La faute à pas de chance, je suppose.

— C'est ça, marmonna Violet, riant jaune à l'idée qu'une *bonne* fée s'était penchée sur son berceau pour lui donner le pouvoir de trouver des proies abandonnées. Et à ma place, est-ce que tu en parlerais ?

Sa mère se leva pour débarrasser.

— Je me demanderais pourquoi je le fais, s'il y a un intérêt à ce que la personne le sache, et je ferais ce que me dicte mon cœur, répondit-elle tandis qu'elle déposait la vaisselle dans l'évier. Il y a une chose dont je suis sûre et certaine, ma puce, reprit-elle avec un clin d'œil. Quelle que soit ta décision, ce sera la bonne.

Sur quoi elle sortit de la cuisine, laissant Violet à ses interrogations, plus nombreuses encore qu'avant. Quelque part, elle s'était préparée à ce que sa mère lui confirme ce qu'elle avait toujours cru : qu'il s'agissait d'un secret. Et que cela devait le rester.

Au lieu de ça, un tas de nouvelles possibilités se bousculaient dans sa tête. Mettre quelqu'un d'autre dans le secret. Aider le FBI. Poursuivre des assassins.

Cela faisait beaucoup pour une seule fille. Et, dans l'immédiat, elle se sentait trop diminuée physiquement et émotionnellement pour se pencher sur la question.

Elle éteignit la lumière et monta dans sa chambre.

Violet avait beau être épuisée, à plat ventre sur son lit, elle se plongea dans les dossiers que Rafe lui avait remis.

Elle savait ce que Sara attendait d'elle, bien sûr, ce dont elle la croyait capable avec une pile de photos et des rapports de police. Elle la prenait pour une sorte de médium. Elle pensait qu'il lui suffirait de passer ses mains au-dessus des preuves qu'ils avaient amassées pour résoudre des affaires non élucidées.

Si seulement ç'avait été aussi simple !

La première chemise concernait le meurtre du petit garçon. Elle tomba sur un portrait de lui en gros plan. Elle caressa la photo, suivant du doigt sa petite bouche délicate, se demandant comment quelqu'un pouvait faire du mal à un enfant. Elle sentit la tristesse la poignarder en plein cœur. Il était si jeune, si innocent.

Elle referma la chemise et ouvrit l'autre.

À l'intérieur se trouvait la photo d'une femme. Serena Russo – la mère de Mike. La photo n'était pas très récente, comme si elle avait été retirée d'un cadre accroché dans la maison familiale ; les couleurs étaient passées et les vêtements démodés, mais la femme souriait. Elle était heureuse au moment où on l'avait photographiée.

La chemise contenait deux autres photos. Toutes les deux prises après que son premier mari l'avait battue. Sur chacune d'elles, son visage était couvert de bleus, ses yeux tuméfiés, ses lèvres en sang.

Violet retourna les photos, incapable de les regarder.

Sa peau se couvrit de chair de poule tandis qu'elle contemplait le cliché du coupable pris au moment de son arrestation. Elle lut son nom : Roger Hartman. Elle jeta un coup d'œil à son adresse par curiosité et fut étonnée de voir qu'il vivait à seulement une heure de route.

Violet pouvait comprendre pourquoi Sara soupçonnait cet homme d'être à l'origine de la disparition de Serena Russo. Mais à quoi pensait-elle exactement ? Que la mère de Mike était morte ? Qu'elle avait été assassinée par son ex-mari ?

Il semblait injuste que Roger Hartman continue de vivre comme si de rien n'était alors que la famille Russo avait été anéantie.

Tout à coup, Violet regretta de ne pas pouvoir les aider, de ne rien pouvoir faire pour combler le vide que Mike et sa sœur devaient ressentir depuis la disparition de leur mère. De ne pas pouvoir soulager leur père de son fardeau.

« Rester sans savoir », comme disait Sara.

Elle referma la chemise et les fourra toutes les deux dans son sac à dos.

Gourmandise

*E*lle détestait le tintement des bouteilles. Ça n'était jamais bon signe, surtout au beau milieu de la nuit.

C'était un bruit lié à son père.

Seule dans sa chambre plongée dans l'obscurité, elle avait envie de crier. Elle avait l'impression qu'elle allait étouffer si elle ne libérait pas le hurlement que sa gorge ne demandait qu'à expulser.

Elle écouta ses grosses chaussures de chantier racler le plancher du salon, se demandant pour la millionième fois pourquoi c'était sa mère qui était partie et pas lui. Pourquoi n'avait-il pas abandonné sa famille au lieu d'elle ?

Pire ou presque que le tintement des bouteilles, il y avait l'appréhension qui enflait à l'intérieur d'elle dans les moments qui précédaient son retour du travail, tandis qu'elle attendait de voir quel homme il serait, quel père franchirait le seuil à la fin de la journée. Car elle était désormais persuadée qu'ils étaient différents, son père d'avant et ce nouvel homme qui habitait chez eux.

Son vrai père avait disparu – en même temps que sa mère –, la laissant avec cet inconnu qui n'avait de son père que les traits.

En grandissant, elle avait appris que certains monstres n'étaient pas que des inventions pour faire peur aux enfants.

Pourtant il y avait toujours un bref instant, malgré tout le mal qu'elle se donnait pour ne pas y croire, où elle espérait que ce ne serait pas lui. Que son vrai père passerait la porte. Qu'il rentrerait enfin à la maison.

Tu parles !

Son vrai père avait disparu et laissé à sa place un homme renfermé et amer. Et très rarement sobre.

Elle vivait dans une solitude que personne ne comprendrait jamais.

L'oreille tendue, elle serrait la couverture contre elle tout en se roulant en boule et attendait que le calme revienne dans la pièce voisine. Elle l'entendit décapsuler une autre bouteille. Bientôt il dormirait.

Avec le soulagement venait la haine.

Elle haïssait son père, l'homme qu'il était devenu.

Elle haïssait la femme qui l'avait mise au monde avant de partir sans se retourner, abandonnant ses enfants quand ils avaient le plus besoin d'elle.

Bien sûr, il y avait aussi d'autres gens qu'elle haïssait, d'autres gens qui possédaient ce qu'elle n'avait pas, d'autres gens qui détenaient ce qu'elle désirait le plus au monde. Mais la personne qu'elle haïssait le plus, c'était elle, car elle n'avait pas la force de se sauver. Pas encore.

Mais un jour, cela changerait. Elle ne resterait pas coincée là pour toujours ; cette certitude lui donnait du courage.

Tôt ou tard, elle trouverait une issue.

CHAPITRE 15

Violet ne savait pas très bien ce qu'elle faisait dehors à cette heure-ci ; ce qui était sûr, c'est qu'elle ne voulait pas se retrouver chez elle en tête à tête avec ses pensées.

Elle roulait depuis plus d'une heure, essayant de se faire avaler par la nuit, de s'y perdre. C'était le moment qu'elle préférait pour conduire, quand les rues de la ville étaient presque entièrement désertes.

La pluie crépitait contre son pare-brise, floutant les lumières du dehors dans des flaques où elles se reflétaient, contribuant à accroître son sentiment d'isolement.

L'heure était idéale pour réfléchir.

Elle s'arrêta à un feu clignotant à un grand carrefour.

Elle aurait aimé savoir quoi faire, savoir quoi répondre à Sara quant à sa proposition de mettre son don au profit des autres. Elle ne savait même pas si c'était une proposition officielle, ou seulement une perche tendue au petit bonheur par un observateur curieux. Toutefois, Sara ne lui aurait probablement pas confié de rapports à feuilleter si elle n'avait pas été sérieuse.

Cela dit, il y avait d'autres sensibilités à prendre en compte ; elle avait entendu les agents sur le parking.

« Des conneries », avait déclaré l'un d'eux.

«Une perte de temps», avait affirmé un autre.

C'étaient des hommes portant des insignes, des enquêteurs chevronnés. Et pour eux, le FBI n'avait pas besoin de services dans le style de ceux de Violet.

Peut-être qu'ils avaient raison.

Violet n'en savait rien. Cela faisait tellement longtemps qu'elle cachait ce dont elle était capable que l'idée de s'en ouvrir à qui que ce soit, à l'exception de Jay et de sa famille, allait à l'encontre de tout ce qu'elle avait toujours cru.

C'était un secret... *son* secret. Comment pouvait-on lui demander d'en parler?

Sauf qu'il n'était écrit nulle part que cela devait rester un secret.

La frustration brouillait son jugement. Elle se rendit compte qu'elle était toujours arrêtée au feu clignotant, attendant que quelque chose se passe.

Mais il n'y aurait aucun signe, aucune réponse toute faite.

Elle ne voulait pas continuer à conduire au hasard; elle avait besoin d'un but... même si c'était pour rentrer chez elle.

Elle soupira, prenant sa première vraie décision depuis des jours.

Sa voiture rechigna comme à son habitude, tandis qu'elle effectuait un demi-tour à trois points au milieu de la route déserte. Elle aimait bien l'idée de faire quelque chose d'interdit, même si ce n'était qu'une infraction au Code de la route. Elle avait l'impression de transgresser les règles complètement gratuitement.

Elle tourna dans l'allée de Jay et éteignit ses phares. Elle n'en avait pas besoin; elle aurait pu manœuvrer les yeux fermés.

Pour la énième fois ce soir-là, elle se demanda ce qu'elle fabriquait. Une seule chose était sûre: elle avait besoin de voir Jay.

Elle coupa le moteur et sortit sous la pluie, se faufilant le long de la maison. Elle toqua doucement à la fenêtre de sa chambre. Après plusieurs longues secondes, alors qu'elle s'apprêtait à taper une deuxième fois, ses rideaux s'écartèrent.

En la voyant, il sourit.

Elle se sentit immédiatement mieux. Le voir calma ses nerfs à vif. Elle avait pris la bonne décision en venant ici.

— Passe par la porte, fit Jay. Je viens t'ouvrir.

Sa voix était paisible et encore ralentie par le sommeil.

— Non, chuchota-t-elle. C'est toi qui sors.

— J'arrive, répondit-il sans protester. Laisse-moi enfiler un pantalon.

Violet regarda les rideaux reprendre leur place. La lumière resta éteinte, mais moins de quelques secondes plus tard, il sortait par la fenêtre.

— Qu'est-ce que tu fais là? demanda-t-il avec un grand sourire quand ses pieds touchèrent le sol.

Il l'enlaça comme s'il pouvait, à sa façon, la protéger de la pluie qui tombait. Il ne fit aucune remarque sur le temps.

Elle se dégagea un peu, juste assez pour pouvoir lever la tête vers son visage. À ses côtés, tout le reste paraissait moins… important. Moins perturbant.

— Tu veux qu'on aille faire un tour?

Violet fit non de la tête.

— Je voudrais juste parler.

— D'accord.

Il haussa les épaules avec détachement, mais Violet perçut son inquiétude.

Il la suivit jusqu'à sa voiture et ils se glissèrent à l'intérieur.

Violet n'alluma pas le moteur; elle préférait le calme. Le bruit doux de la pluie qui tombait sur la voiture créait une bande-son reposante qui seyait à son état d'esprit. Jay essuya les gouttes sur ses joues, écarta les mèches de cheveux trempées de son visage. Violet lui saisit la main et la retint tandis qu'elle attendait de trouver les mots justes.

Il ne la pressa pas.

Elle lui devait tellement d'explications que ses craintes de petite fille semblaient complètement idiotes.

— Qu'est-ce que tu as pensé la première fois que je t'ai parlé des animaux que je découvrais? demanda-t-elle à voix basse.

La question le décontenança. Il ne s'attendait manifestement pas à ça.

— Violet, j'avais sept ans. Je trouvais que ça déchirait. Je suppose que je t'enviais même un peu.

Elle fit une grimace.

— Est-ce que ça te paraissait tordu? Me considérais-tu comme quelqu'un de bizarre?

— Carrément! opina-t-il avec enthousiasme. Sinon je n'aurais pas été aussi jaloux. J'aurais voulu être à ta place. Tu étais une sorte de détective pour animaux. Le plus curieux, c'était que tu étais une fille. Mais comme tu m'embarquais toujours dans des aventures super cool, je m'y suis fait.

Violet libéra un soupir, sourit. Elle savait qu'il disait la vérité, ce qui rendait ses mots encore plus drôles à entendre. Quel petit garçon n'aimait pas explorer les bois et creuser la terre?

Elle fit une autre tentative.

— Est-ce que tu l'as dit à quelqu'un? Est-ce que ta mère est au courant?

Il porta la main de Violet à sa bouche et frotta ses doigts contre sa lèvre inférieure, son regard planté dans le sien.

— Non, promit-il. Je te jure que je ne le raconterais à personne, même pas à elle. Mais je pense qu'elle se doute de quelque chose. Du moins, elle estime que tu n'as vraiment pas de veine, à tomber sur tous ces cadavres. (Il baissa la voix.) Elle s'est fait beaucoup de souci pour toi après le bal.

Tu es un peu comme sa fille. Ce qui rend évidemment ce genre de geste un peu pervers, ajouta-t-il en se penchant vers elle et en l'embrassant.

C'était intime. Pas doux et tendre comme les fois précédentes, mais intense et passionné. Violet en eut le souffle coupé. Elle posa la main sur la poitrine de Jay, prenant plaisir à sentir les battements de son cœur sous sa paume, puis ses doigts remontèrent jusqu'à son cou, dans ses cheveux.

Il l'attira sur ses genoux par-dessus l'espace qui séparait les sièges et plaqua les mains contre ses omoplates, la pressant contre lui.

Il lui était quasiment impossible de se dégager.

— Attends, protesta-t-elle, à bout de souffle. S'il te plaît, attends.

— Je croyais que c'était moi, celui qui disait non, la provoqua-t-il, le regard voilé.

Elle poussa un profond soupir, posant sa tête sur son épaule, tentant de rassembler ses idées. Elle tenait toujours à parler. Elle tenait aussi au reste, mais elle avait avant tout besoin de mettre de l'ordre dans ses pensées.

— Désolée, s'excusa-t-elle avec un haussement d'épaules. C'est juste que… j'ai beaucoup de…

Le tee-shirt de Jay était humide et tiède, presque aussi fin que du papier, l'invitant à le toucher. Elle fit courir son doigt le long de son ventre. Elle savait que ce n'était pas du jeu, mais c'était plus fort qu'elle. Il l'attirait trop.

— … il y a des trucs que je dois régler.

Ce fut la meilleure explication qui lui vint à l'esprit.

Il attrapa sa main avant qu'elle n'atteigne sa ceinture et la tint serrée dans la sienne.

— J'essaie d'être patient, Violet, crois-moi. S'il y a quelque chose que tu veux me dire… Bref, j'aimerais simplement que tu me fasses confiance.

— Ça viendra, répondit-elle. Je vais démêler tout ça. Je suis juste un peu perdue en ce moment.

Il lâcha une expiration saccadée, puis l'embrassa sur le sommet du crâne, serrant toujours sa main dans la sienne.

— Et quand tu en auras fini, on pourra reprendre là où on s'est arrêtés.

Elle hocha la tête. Elle se disait qu'elle continuerait à parler ; elle avait encore tellement de doutes sur ce qu'elle devait et ne devait pas faire.

Mais à la place elle resta là, pelotonnée sur ses genoux, à s'imprégner de lui, son contact l'apaisant… et sa présence lui donnant de la force.

CHAPITRE 16

— Tu as une tête de déterrée, déclara Chelsea à Violet en se glissant à côté d'elle dans le couloir. Je me suis laissé dire que tu avais manqué la première heure de cours ; j'ai pensé que tu prenais un petit congé maladie.

— Merci beaucoup, Chels, répondit Violet avec irritation. Je n'ai pas entendu mon réveil sonner et j'ai dû rouler comme un chauffard pour arriver à l'heure pour le début de la deuxième heure.

— À d'autres ! Tu conduis comme ma grand-mère.

Puis Chelsea lui donna un petit coup de coude pour lui montrer Mike, qui se dirigeait droit vers elles.

— Regarde, dit-elle. Il se laisse pousser la moustache.

Violet plissa les yeux. Chelsea disait vrai ; une zone de poils sombre pointait juste au-dessus de sa lèvre supérieure.

— Qu'est-ce qui lui prend ? demanda Violet, essayant de ne pas avoir l'air de le fixer.

— Je lui ai dit que j'aimais ça. Je voulais voir s'il le ferait.

Violet se sentit soudain mal à l'aise vis-à-vis de Mike. Ce qu'elle savait sur lui, sur ce que sa famille avait enduré… Elle eut soudain de la peine pour lui. Elle était soulagée qu'il ne sache pas qu'elle était au courant pour sa mère.

Il s'avança vers Chelsea avec un large sourire, remarquant à peine Violet.

— Salut, mon poussin, dit Chelsea comme si elle s'adressait à un bébé. Je t'ai manqué?

— J'ai pensé à toi pendant toute l'heure, répliqua-t-il d'une voix vibrante après l'avoir embrassée rapidement. Tu as trouvé le mot que j'ai laissé dans ton sac à dos?

— Oui. Tu es trop chou.

Leurs roucoulements frisaient l'indécence. Incapable de se retenir plus longtemps, Violet leva les yeux au ciel. Aucun des deux ne s'en aperçut.

— Est-ce que tu as eu des remarques sur ta moustache?

Le visage de Mike se crispa, comme s'il se rappelait soudain les poils clairsemés au-dessus de sa lèvre supérieure.

— Deux ou trois, répondit-il à contrecœur, et Violet se douta qu'il avait eu sa dose de mise en boîte.

Sans relever le désarroi dans sa voix, Chelsea enchaîna:

— Vi et moi devons filer ou on va être en retard.

Elle l'embrassa, puis passa son pouce sur les poils au-dessus de sa lèvre supérieure comme s'il s'était agi d'une peluche.

— Je te vois après les cours.

Chelsea entraîna Violet, laquelle n'arrivait toujours pas à détourner le regard des poils disgracieux. C'était comme un accident de voiture... difficile de regarder ailleurs.

— Sans rire, ça te plaît? demanda Violet en suivant Chelsea dans le couloir.

— La moustache? fit Chelsea avec une moue dégoûtée. Mon Dieu, non. C'est affreux sur lui.

— Alors, pourquoi?

— Je te l'ai dit, je voulais voir s'il le ferait. Mais ne t'inquiète pas. Je vais l'obliger à la raser ce week-end.

Violet hésitait entre féliciter son amie pour ses talents de dresseuse et la réprimander pour sa cruauté. Au final, elle ne fit ni l'un ni l'autre, car elle savait que cela ne changerait rien.

Chelsea était comme elle était. Autant se taper la tête contre un mur plutôt que de vouloir la convaincre qu'elle s'était mal comportée. Ça ne servait à rien et c'était douloureux.

Jay s'assit en face de Chelsea et prit ses mains dans les siennes. L'immense cantine était en effervescence, et il dut presque crier pour se faire entendre.

— Chelsea, pour l'amour du ciel, je t'en prie… arrête le massacre. Laisse mon ami tranquille.

— Oh, ça va, arrête ton cinéma, répliqua-t-elle en se dégageant d'un geste vif. Il n'est pas en sucre. Et puis je vais réparer les dégâts ce week-end.

— Je préférerais que tu le fasses avant, insista-t-il. Le pauvre s'en prend vraiment plein la gueule à cause de ce truc.

— Il survivra. Fais-moi confiance. C'est un exercice formateur. Il en sortira plus fort.

On aurait dit qu'elle y croyait. Elle allait réellement essayer de faire avaler à Jay qu'elle faisait tout ça pour le bien de son ami.

Jay n'en croyait pas un mot, mais il lâcha l'affaire quand Mike apparut derrière Chelsea et planta un baiser enthousiaste sur sa joue. De toute évidence, il ne souffrait pas trop de la petite expérience.

Chelsea se frotta le visage à l'endroit où s'étaient posées ses lèvres et fit une grimace dégoûtée que Violet et Jay furent seuls à voir.

— Mon homme! s'exclama-t-elle. Jay me disait justement qu'il n'aimait pas ta moustache, bébé. Mais je lui ai répondu qu'il était dingue. Je trouve ça sexy.

Mike parut gêné que le sujet revienne encore une fois sur le tapis, et Violet se demanda ce que Chelsea avait fait pour qu'il veuille lui plaire à ce point.

Mais avant qu'elle puisse se perdre en spéculations, quelque chose d'étrangement familier attira son regard.

Ce fut si léger, et si furtif, qu'elle n'était même pas sûre de l'avoir vraiment vu. Une lueur fugace. Une étincelle terne.

Violet se tourna vers l'endroit d'où cela provenait, se demandant de quoi il pouvait s'agir.

La cantine était pleine à craquer d'élèves assis autour des tables et adossés aux murs. Ils entraient et sortaient, et elle les voyait déambuler dans les couloirs qui longeaient les bureaux de l'administration à l'entrée du lycée, juste derrière la cafétéria.

Ça aurait pu être le flash d'un appareil photo. Ou le faisceau d'une lampe torche. Même si elle n'en comprenait pas très bien l'utilité ici… en plein jour.

Peut-être que ce n'était rien.

Mais non. Un léger bourdonnement animait ses veines.

Elle se leva sans se soucier des autres membres de la bande.

— Je reviens, déclara-t-elle à personne en particulier tandis qu'elle parcourait la cantine du regard, en quête de la lumière diaphane.

Elle n'avait aucun moyen de savoir d'où elle avait jailli exactement, mais elle se dirigea vers les couloirs bondés. Elle reconnaissait tout le monde et personne à la fois.

Elle avait l'impression de se livrer à une chasse aux fantômes, scrutant chaque visage, à l'affût d'un détail susceptible de distinguer un individu des autres. Guettant ce *je-ne-sais-quoi* dont cette personne n'aurait même pas conscience.

C'était la lumière, les éclairs répétés qui l'avaient réveillée la nuit où le chat mort avait été déposé devant chez elle. Avec tout ce qui lui tombait dessus ces derniers temps, elle en avait presque oublié le chat… et son tueur. Et voilà que cette empreinte réapparaissait.

Même si elle était plus délavée, presque complètement voilée par la lumière du jour, Violet était certaine que c'était ce dont il s'agissait.

Des doigts glacés lui étreignirent le cœur à la pensée que l'un de ses camarades, une personne qu'elle connaissait, une personne qu'elle côtoyait tous les jours, ait pu commettre un acte aussi atroce. Et laisser l'animal à son intention.

Elle s'efforça de retrouver la trace de l'éclair, s'efforça de le repérer parmi les visages qui l'entouraient. Ne le voyant nulle part, elle commença à se dire qu'il avait disparu. Ou qu'elle l'avait imaginé.

Puis il se manifesta de nouveau, n'ayant plus rien à voir avec cette étincelle diffuse, brillante qu'elle avait vue dans la nuit. Disparu aussi vite qu'il était apparu. Plus loin d'elle désormais.

«Peut-être que ça vient de dehors», pensa-t-elle en regardant par les fenêtres.

Se frayant un chemin parmi la foule des élèves, elle franchit la double porte près de l'accueil et sortit à la lumière du jour. La personne qui portait l'empreinte du chat mort n'était nulle part.

Elle poursuivit ses recherches. Devant elle, sur le parking, des voitures allaient et venaient. Autour d'elle, des élèves et quelques professeurs déambulaient le long des trottoirs qui sinuaient à la périphérie du lycée.

Son cœur battait à un rythme effréné. Elle avait peur de découvrir la vérité. Peur de ne pas la découvrir.

Elle ralentit, mesurant ses gestes, observant attentivement tout ce qui l'entourait. Mais plus elle s'entêtait, plus elle avait la certitude d'arriver trop tard. La personne qu'elle avait détectée avait disparu.

Elle atteignit l'extrémité des bâtiments, où commençait le parking, et descendit du trottoir d'un pas lourd, regardant autour d'elle. Il n'y avait personne. Pas de flash. Elle était seule.

C'était incompréhensible.

Elle soupira, gagnée par la déception. Elle ne savait pas quoi penser.

Elle était fatiguée, se rappela-t-elle. Elle dormait à peine, et cela depuis très longtemps. Trop longtemps. Peut-être que son cerveau avait dépassé le seuil de fatigue normal et avait basculé dans quelque chose de beaucoup plus dangereux, un état d'épuisement tel qu'elle ne pouvait plus se fier à ses pensées.

Elle secoua la tête, rejetant cette perspective dérangeante.

Elle n'était pas folle. Elle avait bel et bien vu quelque chose. Il y avait eu quelque chose, et même si ce n'était pas une empreinte, elle n'avait pas rêvé.

Elle attendit encore quelques minutes puis renonça, retournant à la cafétéria.

« Ce soir, décida-t-elle avec détermination. Ce soir, il faut que je dorme. »

Cupidité

*E*lle n'avait jamais rien vu d'aussi étrange. Violet s'était levée d'un coup et s'était dirigée droit vers elle. C'était comme si elle s'était sue observée.

Mais c'était impossible.

Elle avait seulement voulu les épier un moment, s'abandonner juste un peu. Quand elle avait vu Violet s'avancer dans sa direction avec l'air de savoir ce qu'elle cherchait, elle avait battu en retraite avant qu'elle ne la surprenne… cachée derrière un poteau en train d'épier à la dérobée la vie qu'elle ne pourrait jamais avoir.

Violet la parfaite. Violet et sa petite vie parfaite.

Elle se glissa dehors avant que Violet ne la rattrape et tourna à l'angle du bâtiment. Elle s'immobilisa un moment, paralysée – prisonnière –, le temps que son père monte dans sa camionnette. Elle lui en voulait d'avoir insisté pour signer son mot d'absence. C'était à cause de lui si elle était en retard, si elle était restée éveillée la moitié de la nuit à attendre qu'il s'écroule.

Lorsqu'il démarra, elle contourna le bâtiment à la recherche d'une autre entrée et se demanda ce qui se passerait si elle se laissait attraper.

Elle caressa la perspective de se confier à Violet, et l'idée lui parut étrangement attirante.

Et si elle pouvait vraiment raconter la vérité à quelqu'un ? Et si elle pouvait se soulager de son fardeau ?

Mais qu'est-ce qu'elle dirait ? Que sa mère les avait abandonnés ? Que son père était un alcoolique ?

N'importe quoi ! Elle ne raconterait rien à personne. Il n'y avait personne en qui elle pouvait avoir confiance… personne pour se soucier de son existence pathétique.

Surtout pas Violet Ambrose.

Elle trouva une porte ouverte et prit une inspiration, soulagée. Elle s'inséra dans le flot des élèves qui se déversaient dans les couloirs en direction de leur prochain cours. Elle se déplaçait parmi eux, rassurée d'être redevenue indétectable.

Comme elle l'aimait.

Anonyme. Un visage dans la foule.

Une fille semblable à n'importe quelle autre.

CHAPITRE 17

Lorsque Violet et Jay regagnèrent le parking après les cours, Violet ne put s'empêcher d'inspecter tous les gens qu'elle croisait. De les étudier. De les sonder.

L'un d'eux portait une empreinte.

Elle ne cessait de se répéter d'oublier l'incident, mais elle n'y arrivait pas.

— Hé, c'est pour toi, annonça Jay, interrompant le cours de ses pensées tandis qu'il attrapait le papier rose coincé sous son essuie-glace.

Il le renifla avant de le lui tendre.

— Ça cocotte, remarqua-t-il.

Violet se moqua de lui, puis retourna le papier dans ses mains.

Son nom était écrit au feutre violet dans une écriture indubitablement féminine. Elle le porta à ses narines avec appréhension ; ça sentait le raisin. Un cœur au motif de dentelle le maintenait fermé.

Elle souleva un coin de l'autocollant.

— Bizarre, dit-elle en adressant un regard mystérieux à Jay. Peut-être que j'ai un admirateur secret.

Jay jeta son sac sur la banquette arrière et monta dans la voiture.

Violet déplia la lettre et la lut. Son cœur s'arrêta.

Elle était rédigée dans la même écriture féminine que son nom. Elle la relut, pensant avoir mal compris.

Mais non.

Elle replia la feuille à la hâte, essayant d'ignorer la sensation troublante d'être observée. Elle la fourra dans son sac à dos, qu'elle balança à l'arrière avec celui de Jay.

— Alors? demanda distraitement celui-ci tandis qu'elle s'asseyait sur le siège passager. De qui venait cette déclaration d'amour?

Violet secoua la tête lentement, cherchant ses mots sans les trouver. Elle avait l'impression d'être à nouveau prisonnière de son cauchemar, le rêve où elle était enterrée vivante, suffoquée par l'obscurité.

— Violet?

— Quoi?... Chelsea, balbutia-t-elle. C'est un mot de Chelsea.

— Ça va? s'inquiéta-t-il.

Il posa sa main sur sa joue, les sourcils froncés.

Elle hocha la tête.

— Je suis fatiguée. Complètement à plat.

Il accepta sa réponse, car il savait, sans doute mieux que quiconque, que c'était la vérité. Et ça l'était encore quelques secondes plus tôt.

Jusqu'à ce qu'elle lise cette lettre.

Jay devant travailler cet après-midi-là, Violet avait prévu de s'accorder une sieste bien méritée. Mais quand elle rentra chez elle, entre son père toujours au travail et sa mère partie pour le reste de la journée, elle se rendit compte que jamais elle n'arriverait à fermer l'œil. Pas tant que sa maison serait vide.

Elle tourna en rond, cherchant un moyen de se détendre. Elle n'arrivait pas à croire qu'elle avait peur sous son propre toit. Ça ne lui était jamais arrivé, pas même quand elle était petite.

Elle n'avait jamais cru au croquemitaine ou aux monstres qui se cachaient sous les lits ou dans les placards, dans les recoins sombres que les veilleuses n'éclairaient pas.

Et pourtant, voilà qu'elle se retrouvait terrifiée dans l'endroit au monde où elle aurait dû se sentir le plus en sécurité.

À cause de ce mot idiot.

Elle le sortit de son sac à dos et le relut, se demandant ce qu'elle espérait y gagner :

> *Rosie est partie,*
> *Violet a le cœur gris,*
> *Tu ne me vois pas...*
> *Mais je suis derrière toi.*

Depuis qu'elle était petite, elle avait entendu des centaines de variantes de cette comptine autour de son prénom. Mais elle ne lui avait jamais paru aussi menaçante, aussi sinistre. Violet comprenait parfaitement ce que sous-entendaient ces mots.

C'était un nouveau message de la personne qui avait déposé le chat. La personne qu'elle avait suivie aujourd'hui au lycée.

Il, ou *elle*, se reprit Violet en avisant l'écriture féminine, la narguait. La harcelait, la tourmentait ouvertement.

Et cette personne savait où elle vivait.

Violet fourra le mot au fond de son sac, baissa tous les stores du salon et resta assise dans le noir sur le canapé, tâchant de se persuader qu'elle était en sécurité. Elle aurait voulu se sentir fatiguée de nouveau, suffisamment pour s'endormir, afin de se réveiller en meilleure forme, les idées plus claires. Mais plus elle s'efforçait de se détendre, plus elle se rendait compte que c'était peine perdue.

Elle finit par décider qu'elle avait besoin de prendre l'air, au moins jusqu'au retour de ses parents. Mais il lui restait une dernière chose à faire avant de sortir.

Elle enfila ses chaussures et sa veste et vérifia que Carl était à l'intérieur, avant de se glisser par la porte de derrière et de traverser la pelouse jusqu'au studio de sa mère. Elle fouilla sur les tables encombrées jusqu'à ce qu'elle mette la main sur un petit morceau de bois. Il était plat et lisse, idéal pour l'usage auquel elle le destinait. Elle espérait que sa mère ne le gardait pas en vue d'un projet particulier.

Elle ouvrit un petit pot de peinture acrylique et s'empara d'un pinceau fin. Elle avait choisi une belle nuance de rose.

Violet s'appliqua sur son projet, veillant à lui apporter le soin qu'il méritait. Quand elle eut terminé, elle rinça le pinceau et reposa le pot à l'endroit où elle l'avait trouvé.

Elle contourna l'abri de jardin sans faire de bruit et se dirigea vers l'endroit où son minuscule cimetière bordait l'arrière de leur terrain. Elle zigzagua entre les stèles artisanales, regardant où elle mettait les pieds, puis repéra l'emplacement qu'elle cherchait.

Elle s'agenouilla devant la nouvelle tombe et installa la plaque peinte au nom du chaton :

ROSIE

Violet avait prévu d'aller s'acheter un thé à emporter, un petit quelque chose pour tenir le coup jusqu'au soir. Quelque chose pour la maintenir éveillée.

Mais en voyant la voiture de Chelsea devant le Java Hut, elle changea d'avis. Ce n'était pas comme si elle avait autre part où aller.

Tandis qu'elle verrouillait sa portière, elle ne put s'empêcher de se demander si l'auteur du message fréquentait aussi ce lieu. À cette idée, elle se mit à soupçonner tous les gens qu'elle croisait.

Elle repéra Chelsea et July au fond de la salle.

Après avoir commandé un thé au comptoir, elle les rejoignit à leur table.

Chelsea fit la grimace devant le thé de Violet.

— Tu es sûre que tu ne devrais pas boire un milk-shake?

C'était sa façon de dire à Violet qu'il fallait qu'elle commande un milk-shake pour qu'elle puisse en boire un sans débourser un sou.

Violet fit non de la tête, ignorant le message que son amie tentait de lui faire passer avec ses gros sabots. Elle retira le couvercle en plastique de son thé et y versa un sachet de miel. Elle but une gorgée; le thé était parfait: chaud et sucré. Juste la dose de caféine qu'il lui fallait pour repousser l'épuisement encore quelque temps.

— Alors, vous venez au chalet, Jay et toi? demanda Chelsea.

La question sortait de nulle part et Violet se dit que le manque de sommeil avait finalement eu raison d'elle.

— De quoi tu parles, Chels?

— Ah ouais, c'est vrai, tu nous as laissés en plan pendant le déjeuner. D'ailleurs où tu étais passée?

Violet ne risquait pas d'avouer à Chelsea qu'elle avait pourchassé des lumières invisibles dans tout le lycée.

— Je devais régler un truc avant le début des cours. C'est quoi, cette histoire de chalet?

— La famille de Mike a une cabane de chasse en montagne. On s'est dit qu'on pourrait aller y passer une nuit pour jouer dans la neige et glandouiller un peu. Tu sais, se lover près du feu, ce genre de trucs sympas.

L'enthousiasme faisait briller les yeux de Chelsea.

Violet détestait devoir la décevoir.

— Ça m'étonnerait que mes parents m'autorisent à passer une nuit dans un chalet paumé avec une bande de garçons.

— Arrête de faire ta mijaurée, Blanche-Neige, le père de Mike sera là. Il est plutôt drôle... tu sais, dans le genre bizarroïde. Ne t'inquiète pas, ton honneur sera sauf. Parole de scout.

Violet garda sa moue dubitative, ce qui ne découragea pas Chelsea.

— Allez, insista-t-elle, je crois que Jay va poser des jours de congés. Ça ne coûte rien de demander à tes parents. S'ils refusent, tant pis. S'ils acceptent, on va s'éclater. On ira se promener dans la neige et on passera la soirée devant la cheminée. On dormira dans des sacs de couchage et on fera griller des marshmallows. Ce sera comme si on campait.

Violet termina son thé, réfléchissant à l'idée de passer un week-end dans un chalet enneigé avec Jay et Chelsea. Loin de la ville. Loin de la personne qui lui laissait des animaux morts et des messages qui lui donnaient la chair de poule.

C'était tentant, et puis Violet adorait la neige. Et la forêt. Et Jay.

CHAPITRE 18

L'épuisement avait fini par avoir raison d'elle, et cette nuit-là, Violet dormit d'un sommeil de plomb. Pour la première fois depuis des semaines, elle se réveilla complètement reposée. Elle se sentait à nouveau lucide, les idées claires.

Dans le branle-bas matinal, c'est à peine si elle remarqua la personne qui l'appela et lui raccrocha au nez, mettant l'appel sur le compte d'une erreur. L'écran avait seulement affiché : *Numéro inconnu*.

Elle glissa son téléphone portable dans la poche de son sweat à capuche et fourra son livre de maths dans son sac à dos.

À l'intérieur de son sweat, le téléphone vibrait. Elle regarda le numéro.

De nouveau *Numéro inconnu*.

— Allô ?

Elle jeta un coup d'œil par la fenêtre pour s'assurer que Jay n'était pas encore arrivé.

Il y eut une longue inspiration, puis le correspondant raccrocha.

Violet rempocha le téléphone. Jay allait arriver d'une minute à l'autre.

Elle nettoya la table et rinça son bol. Elle guettait le bruit de la voiture de Jay quand elle sentit les vibrations dans sa poche. Rebelote.

Ça commençait à l'énerver sérieusement. Elle se sécha les mains sur un torchon et ressortit l'appareil. Même chose : *Numéro inconnu.*

— Quoi encore ? fit-elle avec irritation.

À l'autre bout du fil, on n'entendait que le silence.

Elle soupira doucement et retenta un « Allô ? », essayant de prendre une voix moins cassante.

Rien.

— Il y a quelqu'un ?

Soudain, un bruit. Qu'est-ce que c'était ? Un souffle ? Un murmure ? Violet entendait quelque chose.

— Allô ? Qui est-ce ? demanda-t-elle, pleine d'espoir.

Elle attendit un moment puis regarda l'écran. La communication avait été coupée.

Elle se mordilla la lèvre, les yeux rivés à l'écran. Il ne pouvait s'agir que d'une erreur de numéro… Qui appellerait et raccrocherait trois fois de suite sans prononcer un mot ?

Elle baissa les yeux sur son sac à dos au pied de la table de la cuisine. À l'intérieur se trouvait une jolie lettre rose avec un message inquiétant griffonné à l'encre violette.

Le bruit de la voiture de Jay se fit entendre dans l'allée juste au moment où le téléphone se remettait à vibrer. Elle hésita, le tira de sa poche, le fixa. Elle songea à décrocher, à envoyer balader la personne qui la harcelait, mais elle doutait que cela serve à grand-chose. Alors elle opta pour une autre approche.

Elle ramassa son sac et, se dirigeant vers la porte, appuya sur *Ignorer.*

Si son interlocuteur pensait lui faire peur avec des vers miteux et des appels anonymes, il se fourrait le doigt dans l'œil. Même les animaux morts étaient son truc.

Des gens autrement plus terrifiants avaient tenté de s'en prendre à elle.

Et avaient échoué.

Au grand étonnement de Violet, leur projet de week-end à la montagne prenait bonne tournure. Et ses parents avaient donné leur accord, assorti de quelques conditions. Ils avaient insisté pour rencontrer le père de Mike avant le départ, puisqu'il jouerait les chaperons. Et ils voulaient les noms de tout le monde, y compris ceux des autres parents, et tous les numéros de téléphone. Ils voulaient également connaître l'adresse du chalet. Et, évidemment, avoir la garantie que Jay garderait un œil sur elle.

Cette dernière promesse n'avait pas été très difficile à obtenir. À partir du moment où Jay et Violet avaient commencé à sortir ensemble – et même déjà avant –, Jay s'était fait un devoir de protéger Violet.

Et la confiance que les parents de Violet lui témoignaient prêtait à sourire, car Jay serait officiellement plus jeune que Violet moins d'une semaine plus tard.

Violet s'apprêtait à célébrer ses dix-sept ans, tandis que Jay aurait encore seize ans pendant deux mois.

Un soir, alors que les parents de Violet étaient sortis, Jay la taquina sur le sujet.

— Maintenant que tu as un pied dans la tombe, murmura-t-il dans son cou, étendu sur son lit, je devrais peut-être sortir avec des filles de mon âge.

Violet rit, le prenant au mot.

— Vas-y, ne te gêne pas, dit-elle, se redressant sur un coude. Je suis persuadée qu'il y a plein d'hommes de mon âge qui seraient prêts à terminer ce que tu as commencé.

Jay se raidit.

— Qu'est-ce qui te prend ? demanda Violet, comprenant qu'elle avait touché une corde sensible.

Il secoua la tête.

— Il y a quelqu'un d'autre, Vi ?

Violet fronça les sourcils, déroutée par cette manifestation de jalousie inhabituelle.

— De quoi tu parles, Jay ?

Il planta son regard dans le sien.

— Je t'ai vue au cinéma avec ce type. Qui c'est ?

Violet ferma les yeux. Elle n'était pas encore prête. Elle ne voulait pas lui parler du FBI, de Sara et de Rafe, ni de ce qu'elle avait appris sur la mère de Mike. Elle se demanda un instant si Jay était au courant – si son ami s'était confié à lui. Toutefois, elle en doutait. Jay n'était pas comme elle ; il ne gardait rien pour lui.

— Ce n'est pas ce que tu crois, dit-elle, espérant que cela suffirait.

Jay alla à la fenêtre et écarta le rideau. Chaque muscle de son corps était tendu.

— Qu'est-ce que je suis censé penser, Vi ? Qu'est-ce qui se passe ? Quelque chose te tourmente depuis quelque temps. Pourquoi tu ne peux rien me dire ?

Il avait raison. Elle lui devait au moins d'essayer.

— Je ne sais pas comment l'expliquer, mais j'ai l'impression que tout a changé entre nous…

— Évidemment, Violet, à quoi tu t'attendais ?

Violet essaya de faire abstraction de l'amertume dans sa voix, se disant qu'elle n'avait pas le droit de se sentir blessée.

— Avant, je ne t'aurais jamais rien caché. Tu étais mon *meilleur ami*. Mais maintenant qu'on sort ensemble, c'est… différent. J'ai l'impression de devoir faire attention à ce que je dis, sinon tu t'inquiètes pour un rien. Parfois, j'ai envie que tu redeviennes le Jay d'avant, pour pouvoir te parler.

Violet se glissa derrière lui et l'enlaça, sa joue posée contre son dos.

Ce n'était pas un aveu à proprement parler, mais il y avait du progrès, décida-t-elle. Et bientôt, très vite, elle espérait être suffisamment à l'aise pour pouvoir lui confier ce qu'elle avait sur le cœur.

Elle le sentit se détendre et sa voix se radoucit.

— Alors c'est tout ? Tu as l'impression que tu ne peux plus me parler ? Nous n'avons pas changé, Vi, nous sommes toujours les mêmes personnes.

Glissant ses mains sous son tee-shirt, elle caressa son torse du bout des doigts avant de redescendre vers sa taille. Il se retourna avec un sourire faussement accusateur.

— Essaieriez-vous de me distraire, Violet Ambrose ?

— Vous êtes plus futé que vous n'en avez l'air, le taquina-t-elle alors qu'il la poussait en arrière et qu'ils basculaient tous les deux sur son lit.

— Quant à vous, vous êtes moins drôle que vous ne le pensez.

Sa bouche s'attarda au-dessus de la sienne tandis que ses bras l'enserraient, la pressant contre lui. Violet pouffa et tenta de se libérer en gigotant, mais Jay l'en empêcha. Il l'embrassa dans le cou, ses lèvres la mettant au supplice au point que ce n'était plus son étreinte qui gênait sa respiration.

— Au fait, Violet, lui murmura-t-il à l'oreille, son souffle lui chatouillant la joue, je suis toujours ton meilleur ami. Ne l'oublie jamais.

Ses paroles étaient empreintes d'une ferveur touchante.

Tout ce que Violet réussit à dire fut :

— S'il te plaît ! N'arrête pas !

Elle se moquait de devoir implorer si c'était pour arriver à ses fins.

Apparemment, cela suffit à satisfaire Jay, et il prit possession de sa bouche.

Il l'étendit doucement sur le lit et posa sa tête sur les oreillers. Elle voulait qu'il la touche, qu'il l'embrasse, qu'il l'explore. Elle l'agrippa, s'accrochant si fort à lui qu'elle en avait mal aux doigts. Son corps tout entier lui faisait mal.

Jay s'allongea sur elle. Enroulant ses jambes autour de lui, elle l'attira contre elle, lui signifiant par chacun de ses mouvements qu'elle le désirait, que c'était ce qu'elle désirait. Maintenant.

— Tu es sûre? demanda-t-il dans la chaleur de leur souffle, décollant à peine sa bouche de la sienne.

Elle fit oui de la tête, mais quand elle parla, sa voix tremblait.

— Certaine.

Elle se sentait à la fois nerveuse, terrifiée et exaltée.

Il sourit contre ses lèvres sans cesser de l'embrasser, et elle se laissa complètement aller, incapable de calmer les roulements de tonnerre de son cœur.

Il attrapa son portefeuille dans sa poche arrière.

— J'ai un préservatif, dit-il d'une voix rauque.

— Moi aussi, répliqua-t-elle, plongeant la main dans le tiroir de sa table de chevet. Je savais que tu craquerais.

Il grogna, et ses lèvres prirent la direction de son cou tandis qu'il enlevait son tee-shirt et le passait par-dessus sa tête.

Violet le trouvait magnifique. C'était la personne qu'il lui fallait; depuis toujours.

Et maintenant que Jay lui ôtait lentement *son* tee-shirt, ses doigts effleurant sa peau nue en la hérissant de chair de poule, elle se demanda pourquoi ils avaient mis tant de temps à en arriver là.

Rien n'avait changé à l'instant précis où Violet et Jay avaient finalement décidé de coucher ensemble. Rien – et tout.

Violet était abasourdie par ce qu'ils avaient fait. Abasourdie d'avoir partagé ça avec lui. C'était merveilleux et beau, et cela n'avait rien à voir avec ce qu'elle avait imaginé.

La douleur avait été plus intense qu'elle ne s'y attendait, et elle s'était efforcée de ne pas pleurer. Des larmes avaient mouillé ses cils mais elle avait refusé de les laisser couler.

Jay avait insisté pour arrêter, mais Violet s'y était opposée. À la place, ils avaient patienté, Jay caressant ses cheveux, ses épaules, son visage, jusqu'à ce que la douleur se calme.

Plus tard, blottie dans ses bras, elle frissonna.

— Qu'est-ce qu'il y a? s'inquiéta-t-il en la serrant. Tu ne regrettes pas, si?

La tendresse contenue dans ses mots lui vrilla le cœur.

— Ça va pas? Comment je pourrais regretter?

Il lui embrassa doucement les paupières.

— Alors pourquoi tu trembles? Je suis désolé si je t'ai fait mal, Vi.

— Je ne sais pas, répondit-elle en lui caressant le bras, mémorisant la sensation de ses poils rêches, de sa peau, de ses muscles. C'est juste que… ça fait beaucoup. Tu comprends?

Jay sourit. C'était un sourire satisfait. Il se rallongea et l'attira contre lui, au creux de son épaule.

Elle avait envie de le chahuter, de plaisanter, de jouer, mais elle était trop épuisée.

Quand Jay se leva enfin pour partir, Violet se souleva sur un coude et le regarda boutonner son jean. Elle aurait voulu qu'ils restent là plus longtemps. Pour toujours.

Sa présence à ses côtés, son odeur lui manquaient déjà. Elle se redressa pour lui rendre son tee-shirt qu'elle avait enfilé.

— Garde-le, dit-il. Je le préfère sur toi.

Sa façon de la regarder la chavirait. C'était un regard débordant de tendresse… Maintenant, ils s'appartenaient.

Il passa son sweat à capuche à même son torse nu, avant de se pencher pour l'embrasser une dernière fois, ses lèvres s'attardant sur les siennes.

Son pouce suivit le contour de sa joue.

— Je t'aime, Violet Marie. Je t'aimerai toujours.

Après quoi il partit.

Et, pour la deuxième nuit consécutive, Violet dormit profondément, enveloppée dans le tee-shirt de Jay.

Jay travaillait le lendemain, mais il l'appela à plusieurs reprises pour vérifier qu'elle allait bien, qu'elle n'avait pas changé d'avis et qu'il lui manquait. Violet l'appela pour le seul plaisir d'entendre sa voix. Et pour lui susurrer des commentaires suggestifs déloyaux.

Ce nouveau jeu lui plaisait beaucoup. Jay réprimait des gémissements à l'autre bout du fil mais il ne l'interrompit pas une seule fois.

Violet continua d'ignorer tous les appels qui n'étaient pas de Jay. Non seulement ceux de son interlocuteur anonyme, mais aussi ceux de Sara Priest.

Sara lui avait laissé un message sur son portable, et même si elle n'appelait plus depuis les bureaux du FBI, Violet se sentait toujours aussi menacée. Elle n'était absolument pas prête à affronter cet aspect de sa vie, d'autant que sa relation avec Jay prenait un tournant auquel elle devait encore s'habituer.

En début d'après-midi, elle commença à trouver le temps long. Assise à son bureau, elle tenta de se concentrer sur ses devoirs, constamment distraite par le souvenir de la soirée de la veille.

Elle ne pouvait pas s'empêcher de lorgner vers la fenêtre. Le vent soufflait et les grands arbres autour de la maison se balançaient, secoués par de puissantes bourrasques.

Violet adorait le vent.

Incapable de se concentrer sur le livre qu'elle devait lire, elle se changea en vitesse et alla courir sur son parcours habituel. Elle fit l'impasse sur son iPod pour entendre le vent mugir, rabattant des mèches de ses cheveux sur son visage, balayant avec des froissements des feuilles et des débris sur le sol.

Elle fit le vide dans son esprit et s'absorba complètement dans la course. Le froid était cinglant ; elle en inhala l'odeur à pleins poumons.

Au-dessus d'elle, des branches craquaient sous les rafales. Violet regarda la cime des arbres tanguer violemment. Le vent forcissait à mesure que le soleil déclinait dans le ciel.

Elle continua à courir, fascinée par la puissance de la tempête qui couvait.

Non loin d'elle, une branche se brisa et Violet ralentit, soudain consciente du déchaînement des éléments. Le ciel s'assombrissait, plongeant la forêt dans la pénombre tandis que les arbres oscillaient en tous sens.

Elle n'était plus certaine d'être en sécurité. Elle pénétra dans les sous-bois pour rejoindre la route, accélérant l'allure. Elle passa devant des souches pourrissantes et enjamba des troncs morts. Elle n'en avait pas pour longtemps, et tant qu'il ferait jour, elle n'aurait aucun mal à s'orienter. Le vent lui fouettait le visage, l'obligeant à avancer tête baissée.

Tout à coup, le bas de son jogging se prit dans des broussailles et elle tira dessus d'un coup sec. Tandis qu'elle se penchait pour libérer sa jambe, elle aperçut une lumière fugitive du coin de l'œil. Elle tourna la tête, les paupières plissées. Au bout d'un moment, la même lueur blanche sembla sortir de nulle part. Une étincelle.

Sa curiosité piquée, Violet se dirigea vers la lumière, s'éloignant de la route. Dans l'obscurité grandissante, le signal lumineux se faisait plus net, plus facile à localiser.

Elle distingua l'arrière d'une maison et se retrouva bientôt à la limite d'un jardin.

La nuit parut tomber d'un coup, aspirant tout ce qui restait de jour, et Violet eut brutalement l'impression d'être à l'entrée d'un trou noir. La maison avait un aspect délabré et Violet se rendit compte, après une brève inspection, qu'elle l'avait déjà vue.

Il faisait noir à l'intérieur, mais derrière les rideaux de l'unique fenêtre, la lumière continuait de clignoter, projetant des faisceaux déstructurés dans l'obscurité. Violet cligna des yeux et se demanda si une télévision était allumée.

Le vent lui martelait le dos, emmêlait ses doigts glacés dans ses cheveux. Une branche, au-dessus de sa tête, craqua bruyamment. Violet sursauta, prise de vertiges, sans quitter la fenêtre du regard.

Brusquement, elle comprit pourquoi il ne pouvait s'agir d'une télévision. Au-delà de la maison, la rue était plongée dans les ténèbres. Pas de lampadaires, pas de feux de circulation. Rien. Il n'y avait plus d'électricité. La tempête avait provoqué une coupure de courant dans tout le secteur.

Un nouvel éclair de lumière blanche jaillit de l'intérieur de la maison.

Et Violet comprit. Il s'agissait de la même lumière que la nuit où elle s'était réveillée. C'était l'empreinte correspondant à l'écho du chat mort.

La personne qui avait tué l'animal se trouvait sous ce toit.

Elle eut un mouvement de recul et s'éloigna en toute hâte de la maison de Mike.

Violet eut largement le temps de tirer ses conclusions avant d'arriver chez elle.

À présent qu'elle avait quitté la forêt, les arbres et les taillis avaient cessé de faire écran au vent et plusieurs bourrasques avaient failli la renverser. Des arbustes et des branches jonchaient la chaussée, transformant son chemin en parcours du combattant. L'obscurité l'obligeait à faire attention à chacun de ses pas et à redoubler de prudence dans les rues plongées dans un noir d'encre oppressant.

Ce qui ne l'empêchait pas de réfléchir à ce qu'elle venait de voir. Les étincelles fulgurantes qui avaient surgi par cette fenêtre au milieu des ténèbres lui avaient rappelé que quelqu'un la harcelait. À coups de messages… et pire encore.

Et maintenant, elle connaissait l'identité de cette personne.

Elle avait tout de suite su, sans l'ombre d'un doute, que Mike était innocent. Elle l'avait souvent vu depuis que le chat avait été déposé devant chez elle ; l'empreinte n'aurait pas pu lui échapper. Et elle n'oubliait pas l'écriture féminine de la lettre, le papier rose et l'encre parfumée.

Elle se souvenait aussi d'avoir vu la petite sœur de Mike flirter avec Jay alors qu'elle ignorait que Violet l'observait depuis la voiture.

Rien que d'imaginer cette jolie fille en train de tuer ce pauvre chaton, Violet en avait la chair de poule. Elle n'arrivait pas à comprendre comment quelqu'un pouvait être assez tordu pour enrouler ses doigts autour du cou d'un animal et lui briser la nuque, quelles que fussent ses motivations… et à plus forte raison pour faire passer un message.

D'ailleurs, quel était censé être le message, au juste ? Qu'avait fait Violet pour que cette fille la déteste à ce point ?

Bah, c'était sans importance, finalement. Megan pouvait

lui reprocher ce qu'elle voulait, elle était malade et quelqu'un devait l'arrêter. Avant qu'elle ne s'en prenne à nouveau à un animal, ou à quelqu'un.

Violet décida qu'il était temps d'en finir avec les secrets. Elle devait en parler à Jay.

Son père faisait les cent pas sous la véranda, une lampe torche à la main. Il courut à sa rencontre sur la route. Violet frissonnait, glacée par le vent mordant et la découverte qu'elle venait de faire.

— Violet, la houspilla son père, enlevant son manteau pour le lui mettre sur les épaules, tu as perdu la tête ? Qu'est-ce qui t'a pris de sortir par un temps pareil ? Ta mère était sur le point d'appeler l'armée.

Il la serra contre lui, l'aidant à gravir les marches. Violet s'appuya sur lui ; elle claquait des dents.

Mme Ambrose fut si soulagée de la voir qu'elle en oublia de lui faire la leçon. Violet s'assit aussi près du poêle que possible, attendant que la chaleur trouve le chemin de ses doigts et de ses orteils engourdis.

Le vent mugissait et secouait la maison, et les craquements des branches et de la cime des arbres emplissaient la nuit. Ils allumèrent des bougies et sortirent des lampes de poche.

Si le courant tardait trop à être rétabli, M. Ambrose irait au garage et mettrait le groupe électrogène en marche. Mais, en général, ce genre de coup de vent entraînait des coupures qui ne duraient que quelques heures, ils patienteraient donc encore un peu.

Violet voulait appeler Jay, lui raconter ce qu'elle avait découvert, mais pas devant ses parents. Tous les trois s'étaient rassemblés autour du feu alors que la température extérieure continuait de descendre en flèche.

Mme Ambrose lui tendit une tasse fumante autour de laquelle Violet referma ses doigts encore gelés, humant le délicieux arôme du chocolat.

— Merci, murmura-t-elle.

Sa mère s'assit en tailleur à côté d'elle.

— Bon, commença-t-elle en lui donnant une petite tape sur la jambe. Je sais que tu ne voulais pas en faire un événement particulier, mais j'ai invité oncle Stephen, tante Kat et tes cousins pour ton anniversaire. Ce ne sera pas une fête. Juste un repas. Avec un gâteau. Et des cadeaux, ajouta-t-elle, visiblement fière d'elle.

— Ah ouais ? Et tu n'appelles pas ça une fête ? maugréa Violet.

Sa mère eut un grand sourire.

— Allez. On veut seulement te souhaiter un joyeux anniversaire. Jay et sa maman viennent aussi. On va s'amuser.

Violet leva les yeux au ciel. Il était inutile d'argumenter ; c'était une bataille perdue d'avance.

— D'accord, capitula-t-elle. Mais pas de chapeaux, ni de serpentins et de ballons. Je ne plaisante pas. Tu t'en tiens au repas.

— Entendu. Pas de serpentins, promit sa mère.

— Ni de ballons.

Sa mère soupira, comme si Violet était une rabat-joie.

— Très bien, pas de ballons non plus.

Violet sourit et but une gorgée du breuvage fumant. Cela faisait du bien.

— Et, maman…, ajouta-t-elle doucement.

— Hum ? répondit sa mère, perdue dans ses pensées, échafaudant peut-être un moyen de contourner l'interdiction visant les ballons.

— Merci.

CHAPITRE 19

À son réveil, l'électricité était rétablie. Tous les interrup-teurs devaient être restés en position allumée, car la lumière se répandait désormais dans chaque recoin, chaque interstice.

Violet et sa mère s'étaient endormies chacune à un bout du canapé, leurs jambes enfouies sous une épaisse couverture. Violet entendait toujours le vent danser la sarabande autour de la maison avec des sifflements graves, mais cela n'avait plus rien à voir avec le martèlement incessant au son duquel elle s'était endormie.

Le plafonnier s'éteignit, et Violet se redressa pour regarder son père.

— Quelle heure est-il ? chuchota-t-elle pour ne pas déranger sa mère.

Il jeta un coup d'œil à sa montre.

— Un peu plus de minuit. L'électricité vient de revenir, la maison devrait être chaude dans quelques minutes.

Violet s'étira et démêla ses jambes de celles de sa mère ; elle avait un torticolis. Laissant son père inspecter les fenêtres et les portes et éteindre les lumières, elle monta dans sa chambre en se massant le cou.

Elle enfila un sweat-shirt et se glissa sous ses couvertures, se couvrant la tête avant de composer le numéro de Jay sur son portable.

Il décrocha à la deuxième sonnerie.

— Ça fait des heures que j'essaie de t'appeler. Tu vas bien ?

— Ouais, l'électricité vient d'être rétablie. Et vous ?

— Elle est revenue il y a dix minutes.

Après quoi le timbre de sa voix changea du tout au tout.

— J'espérais que tu aurais besoin de quelqu'un pour te réchauffer.

— Tu aurais bien voulu, hein ? le taquina Violet, se roulant en boule et laissant la chaleur de ses mots s'insinuer en elle.

Elle l'entendit rire et elle sourit, se délectant de la magie de l'instant. Puis elle soupira.

— Jay, il faut qu'on parle.

— Ça a l'air sérieux.

Il s'exprimait toujours d'une voix espiègle. Violet aurait aimé pouvoir continuer sur ce ton.

— Ça l'est, répondit-elle.

Il y eut un blanc, puis :

— Tu veux que je vienne chez toi ?

— Non.

Violet hésita. Cela lui paraissait tellement plus difficile à présent. Elle y avait réfléchi toute la soirée, se repassant les mots dans sa tête, se sentant sûre d'elle. Mais maintenant elle l'était beaucoup moins. Elle poussa un nouveau soupir.

— Tu commences à me faire flipper, Vi. Qu'est-ce qu'il y a ?

Elle secoua la tête contre le téléphone.

— J'ai vu quelque chose ce soir.

De nouveau, elle perdait toute son assurance. Zut ! Pourquoi c'était si difficile ?

— Je suis allée courir avant la tempête et j'ai vu un écho. Enfin, l'empreinte d'un écho que j'avais déjà vu.

— Ce n'est pas le premier écho que tu vois, Vi, répliqua-t-il d'une voix enjouée.

Il ne saisissait toujours pas.

— Tu sais que je n'ai pas été tout à fait honnête avec toi dernièrement, que j'étais préoccupée. (Elle était assise dans son lit à présent, complètement réchauffée.) Je ne sais même pas par où commencer, lâcha-t-elle avec un soupir.

— La vérité serait une bonne idée.

Il n'y avait plus rien de taquin dans sa voix, mais il était trop tard pour reculer.

Elle prit une grande inspiration.

— Il y a deux semaines, quelqu'un a déposé un chat mort devant chez moi. Ça s'est passé la nuit, mais je sais qu'il m'était destiné car je l'ai trouvé juste à côté de ma voiture.

— Bon sang, Violet, pourquoi tu ne m'as rien dit ? s'exclama Jay après un bref silence. À quoi tu penses quand tu me caches un truc pareil ?

Elle le voyait presque se passer les mains dans les cheveux, comme il le faisait chaque fois qu'il était tendu.

Et c'était précisément la raison pour laquelle elle ne lui avait rien dit.

— Qu'en dit ton oncle ? ajouta-t-il, confirmant encore ses craintes.

— Je n'en ai parlé à personne, avoua-t-elle. Tu es le seul à être au courant.

— Qu'est-ce qui t'a pris de garder ça pour toi ? Et si quelqu'un en avait à nouveau après toi ? Et si la personne qui a fait ça décidait qu'un chat mort n'était pas suffisamment effrayant ? Est-ce que c'est le type du cinéma ?

Il semblait à bout de souffle, il devait arpenter sa chambre de long en large.

— Non, répondit-elle.

— J'arrive. On doit prévenir ton oncle.

— Attends, Jay. *S'il te plaît…* attends, le coupa Violet. Laisse-moi terminer.

Elle l'entendit expirer à fond.

— OK. Je t'écoute…

— Je sais qui l'a déposé, poursuivit-elle avant de changer d'avis. L'empreinte que j'ai vue ce soir – celle du chat – venait de l'intérieur de la maison de Mike. (Violet pensa d'abord que la communication avait été coupée ; Jay ne disait pas un mot.) Allô ? murmura-t-elle.

— Je suis là.

Son tour, tranchant, n'avait rien à voir avec une quelconque inquiétude pour sa sécurité. Elle sentit son cœur partir en chute libre.

— Qu'est-ce que tu sous-entends exactement, Vi ? Tu penses que c'est Mike le coupable ?

— Non, pas Mike.

Elle avait besoin qu'il comprenne.

— Ce n'est pas tout. Le mot, sur ton pare-brise, ne venait pas de Chelsea. Il n'était pas signé, mais c'est une fille qui l'a écrit. Et j'ai reçu des appels anonymes. Je pense que c'est la sœur de Mike, déclara-t-elle, le cœur battant.

Elle ne savait pas trop quelle réaction elle attendait de lui, mais certainement pas la réponse qu'elle obtint.

— *Megan ?* répliqua-t-il, incrédule. Pourquoi est-ce qu'elle ferait une chose pareille ?

— Je ne sais pas, Jay. Mais je ne crois pas beaucoup m'avancer en disant qu'elle est dérangée. Peut-être que tu lui plais, suggéra-t-elle, se rappelant la façon dont Megan avait dragué Jay le soir où il avait rapporté le portefeuille de Mike. Peut-être qu'elle n'aime pas nous voir ensemble et qu'elle voudrait sortir avec toi.

C'est alors qu'il se mit à rire. Doucement. Presque sans bruit.

Mais il n'y eut pas besoin de plus. Violet se hérissa et son dos se raidit tandis que le ressentiment l'emportait sur la raison.

— Enfin, Jay! Il n'y a absolument pas de quoi rire! J'ignore quel est son problème mais c'est grave. Elle a tué un chat. Et je ne sais pas ce qui cloche chez elle, mais elle l'a laissé devant chez moi en guise de message. Et ensuite il y a eu ce mot. Elle est malade, Jay. Elle a besoin d'aide.

Violet serra sa couverture dans sa main, contractant et décontractant son poing en attendant sa réponse.

— À mon avis, tu fais fausse route, Violet.

Elle ferma les yeux.

— Ils en ont bavé ces dernières années. Leur mère a disparu et leur père tient à peine le coup. Megan est la seule famille qui reste à Mike.

Elle n'avait aucune envie de s'apitoyer sur le sort de Megan.

— Ça ne change rien à ce que j'ai vu.

— Peut-être que tu t'es trompée. Il faisait sombre, peut-être que ça n'avait aucun rapport avec un écho. On sait tous les deux que tu as déjà commis ce genre d'erreur. Tu te souviens de Mme Webber?

Mais Violet n'avait pas besoin de Jay pour lui rappeler son institutrice de CP. La situation était complètement différente à l'époque; Violet n'avait que six ans quand sa maîtresse était venue en cours nimbée d'une mystérieuse aura qu'elle n'avait pas la veille. Le halo sombre qui lui collait à la peau comme une épaisse fumée noire avait terrifié Violet, qui s'était enfuie en courant, obligeant l'infirmière scolaire à appeler ses parents.

Quand Mme Ambrose était venue récupérer les devoirs de Violet, Mme Webber lui avait avoué avoir écrasé un raton laveur en venant à l'école ce matin-là.

À compter de ce jour, Violet avait appris à ne pas émettre d'hypothèses à la légère.

Mais cette fois, elle ne se trompait pas. Elle sentit ses paupières la brûler tandis qu'elle s'acharnait à cligner des yeux pour refouler ses larmes.

Jay ne lui avait-il pas assuré qu'il était toujours son meilleur ami ? N'avaient-ils pas passé la soirée de la veille dans les bras l'un de l'autre, à se faire des promesses et à se chuchoter des serments ? Ne s'était-elle pas entièrement livrée à lui ? Comment pouvait-il mettre sa parole en doute ?

— Je ne me trompe pas, asséna-t-elle calmement. C'est toi qui te trompes. Cette fois, c'est toi.

Elle raccrocha, cessant de retenir ses pleurs. Elle se pencha en avant, se recroquevillant sur son oreiller et y étouffant son dépit. Elle ne tenta pas de se raisonner, n'essaya pas de se convaincre que tout irait bien ; elle laissa juste les larmes venir.

Pour la première fois depuis des mois, elle s'autorisa à se sentir en colère, trahie, apeurée, seule. Elle laissa enfin libre cours à tous les sentiments qu'elle avait soigneusement mis à distance jusque-là.

Après avoir pleuré tout son soûl, épuisée, elle sombra dans le sommeil.

Son téléphone vibrait sous son oreiller. Violet l'attrapa et fixa l'écran.

Elle avait l'impression qu'on lui avait passé les yeux à la paille de fer. Elle se frotta les paupières, mais un voile larmoyant lui brouillait la vue. L'écran LED luisait dans le noir.

Le réveil sur sa table de chevet indiquait 2 h 03. Son téléphone affichait : *Numéro inconnu*.

Sa respiration se coinça dans sa gorge et son pouls s'accéléra quand elle se hissa sur un coude. Après avoir hésité, elle appuya sur *Répondre*.

Elle se racla la gorge.

— Allô ?

Comme les autres fois, elle n'entendait rien à l'autre bout du fil. Elle tendit l'oreille, à l'affût d'un indice qui confirmerait l'identité de la fille. Elle plaqua la main sur son autre oreille.

— Allô ? Je sais qui tu es, chuchota-t-elle. (Elle entendit un froissement rapide, comme si on déplaçait le téléphone pour le repositionner.) Je sais ce que tu as fait, dit-elle aussi calmement qu'elle put. Je sais que tu as tué ce chat.

Son cœur cognait douloureusement contre ses côtes. Le silence qui l'enveloppait était insupportable. Violet eut soudain des doutes sur le bien-fondé de ses accusations ; les proférer à haute voix à la personne qu'elle soupçonnait semblait étrangement absurde. Elle entrevit brièvement ce que Jay avait pu ressentir.

Mais ça ne changeait rien ; il aurait dû lui faire confiance.

Elle prit une inspiration, décidant qu'elle se moquait de ce dont elle avait l'air. Elle ne se trompait pas.

— Je sais que c'est toi, Megan. Et Jay le sait aussi.

À l'autre bout du fil, il y eut un son à peine audible – un souffle, un soupir, peut-être un gémissement étranglé –, suivi d'un silence assourdissant.

Megan avait raccroché.

CHAPITRE 20

Violet s'examina dans le miroir et comprit pourquoi sa mère ne s'était pas opposée à ce qu'elle reste à la maison. Elle était blafarde, avait les yeux rouges et gonflés. Elle grimaça en essuyant son nez à vif.

Elle en voulut à Jay. Et à Megan.

Elle retourna se coucher. Elle n'avait jamais été aussi exténuée. Elle se sentait abattue, privée de toute faculté rationnelle. Le fait que Jay ait refusé de l'épauler quand elle en avait besoin lui était insupportable. Les paupières serrées, elle s'efforça de le chasser de son esprit.

Mais c'était trop tard ; Jay avait déjà retrouvé le chemin de ses pensées, et les larmes lui montaient aux yeux, malgré tous ses efforts pour les contenir.

Elle détestait se sentir si vulnérable, si malheureuse. Elle aurait dû être en colère, avoir peur, au lieu d'être allongée sur son lit comme un légume. Tout ça par la faute de Jay.

Et qu'est-ce que cela signifiait ? Qu'il choisissait Megan plutôt qu'elle ? Ou qu'il était simplement incapable de concevoir que Megan pût faire montre d'une telle violence ?

De toute façon, quelle importance ? Dans un cas comme dans l'autre, Jay ne l'avait pas soutenue.

Il avait essayé de l'appeler. Comme elle n'avait pas décroché, il lui avait envoyé un texto, lui demandant s'il pouvait passer. S'ils pouvaient parler.

Après avoir tapé sa réponse, Violet avait à peine eu un instant d'hésitation avant d'appuyer sur *Envoyer*.

Je ne veux pas te voir.

Cela semblait si définitif, si irrémédiable. Si douloureux.

Elle se couvrit la bouche avec la paume de sa main, ramenant ses genoux contre sa poitrine, étouffée par les sanglots. Mais la douleur la plus grande émanait d'un endroit inaccessible – elle avait l'impression que son cœur avait volé en éclats.

Pouvait-elle encore compter sur lui pour continuer à battre ?

Il lui semblait qu'il avait renoncé. Elle aussi avait envie de renoncer.

Elle s'en voulut d'être aussi mélodramatique. Pourtant, c'était la vérité : elle avait perdu Jay.

Après avoir longtemps oscillé entre veille et sommeil, Violet alluma son iPod pour faire barrage à ses pensées. Rien, toutefois, ne put repousser les cauchemars qui revenaient chaque fois qu'elle s'assoupissait, ou la souffrance qui l'assaillait à son réveil.

Il faisait presque nuit quand elle sentit le bord de son matelas s'affaisser. Lorsqu'elle ouvrit les yeux, Chelsea l'observait, assise à côté d'elle.

— Qu'est-ce que tu fais là ? demanda Violet, la gorge douloureuse, en se redressant précipitamment.

— Je me faisais du souci pour toi, répondit Chelsea avec un haussement d'épaules. Tu vas bien ?

Non. Elle en était très loin.

Violet voulait dire à son amie qu'il n'y avait rien de grave, qu'elle était malade et que c'était pour ça qu'elle avait manqué les cours, mais elle se contenta de faire non de la tête. Elle avait la voix éraillée.

— On s'est séparés. Jay et moi, on s'est séparés.

— Ooh, mince, Vi. (Chelsea prit la main de Violet et la serra dans la sienne.) Je suis sûre que ce n'est qu'une querelle d'amoureux. Tout va s'arranger. Tu veux que je lui parle?

— Surtout pas, Chels.

Chelsea semblait à la fois attristée, inquiète, perdue – trop d'émotions dont elle n'avait pas l'habitude.

— Pousse-toi, soupira t elle finalement.

Violet s'exécuta sans protester.

Chelsea se glissa dans le lit à côté d'elle et s'allongea sur le dos, de sorte qu'elles fixaient toutes les deux le plafond.

— S'il est assez bête pour te laisser partir, c'est qu'il ne te mérite pas, jacassa-t-elle, rassurant Violet à sa manière, lui donnant un coup de coude sous la couverture. En plus, je serai toujours là pour toi, et je suis nettement plus drôle que Jay ne le sera jamais.

Violet parvint à rire à travers ses larmes. Elle ne savait pas comment remercier Chelsea d'être passée sans avoir l'air mièvre. Mais elle ne pouvait imaginer plus réconfortant que d'avoir son amie à ses côtés, lui chuchotant des mots d'encouragement tandis que la nuit tombait.

Le lendemain encore, Violet resta chez elle. Non pas parce qu'elle était épuisée, même si c'était le cas. Ni parce qu'elle avait le cœur brisé, ce qui était aussi le cas. Mais parce que c'était son anniversaire.

Joyeux anniversaire pourri!

Elle s'aventura à l'extérieur de sa chambre, soulagée de trouver la maison vide. Et bien qu'elle n'eût pas faim, elle se servit un bol de céréales. Elle ne gagnerait rien à s'affamer.

Le mot sur le plan de travail indiquait que sa mère était sortie faire des courses, ce que Violet interpréta comme des préparatifs en vue de la non-soirée d'anniversaire qu'elle organisait pour sa fille. Rien que de penser à cette soirée avec sa famille – ses parents, sa tante et son oncle –, elle avait le ventre noué. L'absence de Jay lui rendait cette perspective presque insupportable.

Elle déposa son bol de céréales quasiment intact dans l'évier et jeta un coup d'œil à l'horloge. Il n'était que 9 h 15. Soudain, être cloîtrée chez elle toute la journée lui sembla pire que d'aller au lycée. Elle avait besoin de prendre l'air.

Elle se dépêcha pour ne pas croiser sa mère. Elle enfila un jean et un tee-shirt et se fit une queue de cheval qui était loin d'égaler celle de l'impeccable Sara Priest. Les cheveux de Violet n'en faisaient qu'à leur tête, même les bons jours.

Elle procéda à une dernière vérification dans le miroir pour évaluer les dégâts. Ça aurait pu être pire. Du moins si on faisait abstraction de ses cernes sombres et de son teint cireux. Et de son regard sans éclat sous ses paupières bouffies.

Elle rédigea un mot à la va-vite pour prévenir ses parents qu'elle serait rentrée à temps pour dîner, puis elle franchit la porte en coup de vent. Elle se sentit mieux dès l'instant où le moteur de sa voiture s'anima en crachotant.

C'est alors qu'elle sortit son portable pour convenir d'un rendez-vous que jamais de la vie elle n'aurait cru prendre. Avec la dernière personne qu'elle pensait appeler un jour.

Rafe se trouvait déjà à l'intérieur, donnant pour la première fois l'impression d'être détendu. Elle l'observa à travers la vitre. Assis sur la chaise de bistrot branlante, il avait les bras croisés, le menton rentré, les yeux à moitié cachés derrière ses cheveux couleur d'encre. Apparemment, il aimait passer inaperçu.

Cela lui avait sauté aux yeux à l'instant où elle l'avait rencontré. Il dégageait un truc indéfinissable. Il était... *différent*. C'était comme s'il était à part. Comme s'il n'arrivait pas à trouver sa place dans le monde.

Comme elle.

C'était lui qui avait choisi le lieu du rendez-vous. Un petit café sombre perdu au milieu des rues bondées et des immeubles en brique rouge de Pioneer Square, un quartier de Seattle qui foisonnait de galeries d'art, de restaurants et d'antiquaires, également prisé par les sans-abri locaux.

Violet franchit le seuil. Les lattes de plancher brut sonnaient creux. L'endroit embaumait le café.

Rafe leva la tête. Il ne montra aucune réaction en la voyant, et Violet se surprit à se sentir déçue. Elle se demanda à quoi elle s'attendait.

— Salut, dit-elle en tirant la chaise face à lui, tout à coup nerveuse. Merci d'être venu. Je sais que je m'y suis prise à la dernière minute.

Il la salua d'un rapide hochement de tête et continua de l'observer sans rien laisser paraître. Il avait déjà commandé, et de la fumée s'élevait de la tasse posée sur la table.

— J'ai été un peu surpris que tu appelles, répondit-il de sa voix feutrée habituelle.

— C'est toi qui m'as donné ton numéro, répliqua-t-elle. J'espérais juste qu'on pourrait parler... que tu pourrais peut-être répondre à quelques questions que je me pose.

Il baissa les yeux, comme s'il avait du mal à soutenir son regard.

— Tu as raison, c'est moi qui t'ai donné mon numéro. C'est seulement que... les mots ne sont pas mon fort. C'est plus le rayon de Sara. Je peux l'appeler, si tu veux.

Il leva la tête et Violet fut de nouveau frappée par l'intensité de son regard.

Elle voulut protester, puis se ravisa. Elle pouvait presque voir les murs érigés autour de lui, la carapace qu'il n'avait aucune intention d'ôter. Elle se sentait complètement idiote d'avoir cru qu'elle pourrait se confier à Rafe. «J'ai fumé ou quoi?» Ses yeux la brûlaient, et elle cligna fort des paupières. Elle n'en revenait pas d'avoir eu la bêtise de penser qu'il pouvait exister une sorte de *lien* entre eux. Avec les événements des dernières quarante-huit heures, les larmes ne demandaient qu'à jaillir, et elle avait peur de mourir d'humiliation si elle se mettait à pleurer devant lui.

Elle s'écarta de la table, manquant de renverser sa chaise dans son empressement.

Rafe lui attrapa le poignet. Une décharge électrique passa entre eux, remontant jusque dans son épaule. Elle retira vivement sa main et la ramena contre sa poitrine.

Il serra et desserra le poing, et Violet vit que ses ongles étaient coloriés au feutre. Il la regarda dans les yeux.

— Désolé, bredouilla-t-il, visiblement aussi perturbé qu'elle par l'étrange phénomène. Je ne voulais pas te blesser. *S'il te plaît*… ne pars pas. Pas tout de suite.

Elle hésita un instant, mais elle ne put rester sourde à la sincérité qu'elle percevait dans sa voix. Elle rapprocha finalement sa chaise de la table et se rassit. Mais c'était à son tour de dévisager Rafe avec méfiance.

Brusquement, il sourit; un sourire en coin, malicieux. Ça lui allait bien.

— Je t'avais prévenue que les mots n'étaient pas mon fort.

— C'est rien de le dire, rétorqua-t-elle avec une grimace.

— Tu permets qu'on réessaie? De quoi voulais-tu parler?

Violet souffla bruyamment et posa ses coudes sur la table avant de se lancer dans une explication.

— Je ne sais même pas pourquoi je t'ai appelé, en fait. C'est juste que… j'en avais marre d'être seule. Et ça ne veut pas dire que je veux qu'on soit amis ou quoi que ce soit. (Elle fit la moue, avant de poursuivre :) Tu es la seule personne à être au courant pour Sara Priest. Et pour le petit garçon que j'ai découvert. Du moins la seule personne à qui je peux en parler.

Elle pensa à Jay, au fait qu'elle aurait dû être capable de se confier à lui.

Qu'est-ce qui l'avait retenue ? Pourquoi ne lui avait-elle pas parlé de son rendez-vous au FBI ?

Mais ça n'avait plus d'importance ; Jay n'était plus là, de toute façon.

— En gros, je suis perdue, résuma-t-elle, et tu sembles avoir les réponses à certaines de mes interrogations.

— Moi ? fit Rafe en haussant les sourcils avec un air moqueur. Tu penses que moi, j'ai les réponses ?

— Eh bien, toi et Sara.

— Tu ne veux pas lui parler.

Ce n'était pas une question cette fois-ci. Rafe s'appuya contre le dossier de sa chaise et croisa négligemment les pieds devant lui. Violet, cependant, ne s'y trompa pas ; il était intrigué.

Elle savait aussi qu'elle marchait sur des œufs ; Rafe ne semblait pas être du genre à raconter sa vie.

Mais ils avaient quelque chose en commun, qu'ils l'admettent ou non. Sara Priest en était la preuve.

— Écoute, j'ai compris, fit-elle. Tu ne veux pas parler de toi et je ne veux pas parler de moi. Alors qu'est-ce qu'on fait ?

Elle inclina la tête sur le côté, attendant sa réponse.

— Rien. On reste à la case départ, je suppose.

— Tu te fiches de moi ! s'écria Violet en le fusillant du regard. Tu en sais beaucoup plus que tu ne veux le reconnaître. Pourquoi est-ce que Sara s'intéresse à moi, par exemple ? Qu'est-ce qu'elle croit savoir exactement ?

Rafe se pencha en avant, cessant de feindre l'indifférence.

— À toi de me le dire, Violet. Visiblement, il y a un truc. Sinon on ne serait pas là tous les deux. Tu serais chez toi dans ton petit patelin et je dormirais encore.

Son visage n'exprimait rien, mais Violet voyait le sarcasme briller dans ses yeux indigo.

— Si tu veux échanger des secrets, à toi l'honneur.

Violet pinça les lèvres, les mordillant jusqu'au sang. Elle réfléchit à ce qu'il venait de dire, et comprit qu'elle s'était fait prendre à son propre piège. Il l'avait coincée. Et bien sûr, il le savait. Violet n'allait pas révéler ce dont elle était capable... lui parler de son aptitude à trouver des cadavres. Et elle pouvait toujours rêver pour qu'il se confie à elle.

Elle expira, libérant l'air qu'elle avait retenu dans l'attente d'une révélation de sa part.

— Alors tu travailles pour elle? demanda-t-elle. C'est comme ça que vous fonctionnez?

Rafe éclata de rire. C'était la première fois que Violet l'entendait rire. C'était un son bas et grave, à l'image de sa voix.

— Je travaille *avec* elle. Grosse différence. Si tu as d'autres questions concernant Sara, mieux vaut que tu les lui poses directement, déclara-t-il en lui tendant une carte de visite identique aux précédentes.

Violet lui adressa un regard furieux, mais elle savait qu'ils étaient dans l'impasse.

Soudain, Rafe poussa la tasse de café vers elle.

— J'ai commandé pour toi. Un double latte vanille. Mais il doit commencer à être froid, à force.

Violet fronça les sourcils.

— Comment tu as deviné ce que je voulais boire?

Elle prit la tasse. Elle était encore chaude.

— Une intuition, répondit-il avec un haussement d'épaules. La plupart des filles aiment la vanille.

Violet le regarda, sceptique. C'était ni plus ni moins que le raisonnement le plus erroné qu'elle avait jamais entendu. La plupart des filles aimaient beaucoup de choses : le chocolat, le lait écrémé, le lait entier, la chantilly, le café glacé... Il y avait autant de possibilités que de filles. Comment avait-il pu la ranger dans la catégorie des filles qui raffolaient des latte vanille ?

« Un coup de chance », supposa-t-elle alors qu'elle en buvait une gorgée.

Elle se leva pour partir, comprenant que leur discussion était close. Rafe la retint par la manche, prenant garde à ne pas toucher sa peau.

— Au fait, Violet... joyeux anniversaire !

Cette fois, il souriait. Enfin presque.

CHAPITRE 21

Quand Violet franchit la porte d'entrée, elle fut accueillie par des odeurs de cuisine. De la vraie cuisine qui n'avait rien à voir avec le rayon surgelés du supermarché. Cela ne pouvait signifier qu'une seule chose… ce n'était pas sa mère qui préparait son dîner d'anniversaire.

À la fragrance délicate du romarin mêlée aux senteurs entêtantes de l'ail et du citron, elle comprit que son père était aux fourneaux. Il préparait son plat préféré : un poulet au citron.

Elle se sentit soudain affamée. Et même la perspective d'une soirée en famille ne suffit pas à faire s'envoler son appétit.

Des rires lui parvinrent de la cuisine. Elle arrivait en retard à sa propre fête. Elle parvint quand même à se glisser à l'étage pour se changer et se rafraîchir. Elle se sentait complètement à plat après avoir fait cet aller-retour à Seattle pour essayer de soutirer des informations à Rafe. Et cela se voyait probablement à sa tête. Elle se pinça les joues pour donner l'impression que du sang circulait encore quelque part dans son corps et se brossa rapidement les dents.

Lorsqu'elle décida qu'elle ne ferait pas mieux à moins d'y passer plus de temps, elle redescendit au rez-de-chaussée. Sa mère l'attendait au pied de l'escalier.

— Joyeux anniversaire, Vi! s'exclama-t-elle en la serrant dans ses bras.

— Maman, tu as bu? la gronda Violet tandis qu'elle tentait de se libérer.

Elle entendait les autres se lever dans la cuisine, des chaises racler le sol, et des voix venir à sa rencontre.

— Pas du tout, se moqua sa mère, comme si c'était une idée absurde. Je suis simplement...

Elle s'apprêta à dire quelque chose mais se ravisa.

« Inquiète », pensa Violet, terminant la phrase pour elle. Et elle se demanda ce que ses parents avaient dû penser ces deux derniers jours, entre ses absences du lycée et ses journées passées dans sa chambre, son manque d'appétit, et enfin sa disparition du matin.

Mais elle ne posa pas de questions, surtout parce qu'elle ne voulait pas connaître les réponses.

— Bon anniversaire, fit son père, brisant leur silence gêné.

Il l'enlaça à son tour, mais avec plus de douceur, sans brusquerie.

Violet lui sourit.

Sa tante et son oncle étaient là aussi, avec leurs deux enfants, Joshua et Cassidy. Cassidy leva les bras vers Violet, et Violet souleva la petite fille aux cheveux blonds, soulignant le fait qu'elle devenait de plus en plus lourde, même si elle restait légère comme une plume.

— Alors ça te fait quel âge? demanda Violet à la fillette qui gigotait dans ses bras. Douze? Treize ans?

— Non! gloussa Cassidy, qui s'en tint à cette réponse.

Joshua, qui n'avait lui-même que cinq ans, était déjà aussi sérieux que le père de Violet, un vrai petit comptable en herbe. Elle devait faire des efforts pour ne pas remarquer les ressemblances qu'il y avait entre le petit garçon du front de mer et lui.

— Elle n'a même pas encore trois ans, la reprit-il. Elle est née le 6 avril, déclara-t-il avec précision.

— Hum, rétorqua Violet, sceptique, le regardant comme si elle n'y croyait qu'à moitié. Je l'aurais crue plus vieille que ça.

Joshua haussa les épaules comme s'il s'en fichait. Puis il demanda :

— Qu'est-ce qui ne va pas chez toi ? Tu es malade ou quoi ?

— Joshy ! C'est malpoli ! se récria sa mère avec un regard désolé à l'adresse de Violet. Excuse-toi immédiatement.

Violet reposa Cassidy. La petite fille attrapa la jambe de sa cousine et s'y agrippa.

— Ce n'est rien, dit Violet à sa tante.

Puis elle se tourna vers Joshua en haussant les épaules.

— Tu as raison, j'ai un truc qui ne va pas. Mais je ne sais pas quoi.

Le silence gêné était de retour. Et Violet avait conscience de ce qu'ils se doutaient tous que Jay et elle s'étaient disputés, voire qu'ils se séparaient.

Elle fut contente que son père l'emmène bras dessus bras dessous à la cuisine.

— Allez. Il y a de quoi nourrir un bataillon. À table.

Violet ne se le fit pas dire deux fois. La nourriture, au moins, mettait tout le monde d'accord, y compris elle.

Elle fit semblant de s'intéresser aux conversations. Elle ne voulait pas qu'on lui demande ce qui n'allait pas. Elle ne voulait pas répondre à des questions qui étaient en soi déjà trop pénibles à entendre.

Son père apporta le poulet, accompagné d'une purée de pommes de terre à l'ail et d'une salade César. Par bonheur, la discussion évita les sujets qui auraient pu concerner Violet – du moins tout ce qui avait trait à Jay – et il y eut très peu de blancs. Et bien que ce fût son anniversaire, c'est à peine si on sollicita sa participation.

Elle passa l'essentiel du dîner à bavarder avec ses cousins. Ils n'exigeaient d'elle rien de concret, rien de profond. Ils ne représentaient aucun danger, et Violet préférait ça.

Sa mère avait contourné la règle visant les ballons et les serpentins grâce à une faille technique. Manifestement, Violet ne s'était pas montrée assez claire, et elle comprit qu'elle aurait dû étendre l'interdiction à tous les types de décorations. Mais puisqu'elle ne l'avait pas fait, et puisque sa mère l'avait prise au mot, la table – et la pièce – disparaissait sous les fleurs et les bougies.

Le résultat était saisissant. Et même si Violet avait envie de s'insurger, de clamer haut et fort que sa volonté avait été ignorée, que l'esprit – sinon la lettre – de sa requête avait été violé, elle en fut incapable. Elle devait admettre que c'était magnifique. Elle ne savait pas si c'était son premier vrai repas depuis des jours qui faisait effet, ou le manque de sommeil, mais se retrouver dans ce décor, entourée de sa famille, pour son anniversaire, la réconfortait.

— Merci, fit-elle, presque à part elle, le nez dans son assiette.

Violet aurait pu croire que personne ne l'avait entendue s'il n'y avait pas eu un bref flottement dans la conversation.

Ça et la réponse réflexe, spontanée, de Joshy :

— De rien.

Violet sourit et avala une bouchée de purée.

La discussion reprit. Il y eut un gâteau et il y eut des cadeaux. Violet fit de son mieux pour rester ancrée dans le présent et ne pas laisser son esprit vagabonder.

Mais ce n'était pas facile, et elle constata qu'elle était sans cesse distraite. Ils entendirent sonner à la porte.

Son estomac se noua. Elle n'avait envie de voir personne dans l'immédiat, du moins personne qui ne soit déjà présent autour de la table.

Elle détestait cette attente mêlée de crainte. Elle avait l'impression de se trahir en espérant que ce soit Jay. Elle avait passé tellement de temps à se convaincre qu'il était la dernière personne qu'elle voulait voir. *Surtout ce soir.*

Elle jeta un coup d'œil à la ronde. Tout le monde semblait aussi paralysé qu'elle.

— J'y vais, annonça finalement son oncle en se levant.

Violet retint son souffle.

Elle savait. Elle savait déjà que c'était lui. Elle avait peur de le voir, peur de l'effet qu'il pourrait avoir sur sa frêle détermination.

Mais quand son oncle revint dans la cuisine, personne ne l'accompagnait. Et peut-être qu'elle fut la seule à s'en apercevoir, mais elle s'affaissa sur sa chaise. Elle ravala la déception amère de s'être trompée et s'en voulut d'avoir espéré.

C'est alors qu'il prononça les mots que Violet attendait autant qu'elle les redoutait.

— C'est Jay. Il souhaite te parler.

L'air semblait noir et huileux, s'insinuant dans ses poumons. Tout le monde se taisait, immobile, le regard tourné vers elle.

Elle fronça les sourcils et fit non de la tête, lançant un regard implorant à son oncle, incapable de lui donner sa réponse de vive voix.

— Tu es sûre? demanda-t-il.

Et bien qu'il parlât doucement, sa voix était beaucoup trop forte dans le silence de la cuisine. Même les enfants avaient cessé de se tortiller sur leur chaise.

Violet hocha la tête, le suppliant de la comprendre. Mais elle n'avait pas à s'inquiéter. Lui, au moins, ne mettait pas sa parole en doute et ne la critiquait pas quand elle avait besoin de lui.

Lorsqu'il ressortit, sa mère et sa tante eurent la politesse de parler de la pluie et du beau temps plutôt que de faire semblant de ne pas écouter ce qui se passait dans l'entrée.

C'en fut trop pour Violet. Dès qu'elle entendit la porte se fermer, elle se leva.

— Je monte dans ma chambre, annonça-t-elle sur un ton sans appel.

Personne ne tenta de la retenir ou ne lui demanda si ça allait. Ses parents diraient au revoir à son oncle et à sa tante pour elle, et plus tard – beaucoup plus tard –, quand elle se sentirait mieux, elle leur présenterait ses excuses.

Mais, dans l'immédiat, elle ne se sentait pas la force de faire des politesses.

Violet attendit que la maison soit silencieuse pour redescendre se gaver de sucre.

Enfermée dans sa chambre, elle avait essayé de retrouver cet état de stupeur dans laquelle elle avait baigné jusqu'à ce que Jay débarque à sa fête, faisant voler son masque en éclats. Mais elle avait beau lutter, les sentiments étaient trop forts, et trop frais, pour être étouffés.

Elle se faufila jusqu'à la cuisine et sourit. Son père s'était douté qu'elle redescendrait.

Sur le plan de travail, elle aperçut une assiette couverte d'un film étirable. Et sous le papier transparent l'attendait une énorme part de gâteau.

Violet ressentit une bouffée d'émotions. Une bouffée d'émotions salutaire.

À côté de l'assiette était posée une pochette cadeau rose garnie d'un joli papier de soie. Violet lui jeta à peine un regard avant d'aller chercher le lait dans le réfrigérateur.

C'est seulement lorsqu'elle revint s'asseoir que la pochette attira son attention.

Elle pensait avoir déjà ouvert tous ses cadeaux, ceux de ses parents et de ses oncle et tante, mais elle avait dû quitter la soirée sans leur laisser l'occasion de lui offrir celui-ci.

Elle posa un pied sur le tabouret et appuya son menton sur son genou en goûtant au gâteau.

Il était parfait. C'était exactement ce qu'il lui fallait. Comment un truc aussi simple qu'une part de gâteau d'anniversaire pouvait lui apporter un tel réconfort?

Elle tendit la main vers la pochette et joua avec le papier délicat de l'emballage; son fini irisé scintillait légèrement à la faible lueur dispensée par la lumière au-dessus de la cuisinière. Violet sourit à nouveau, se demandant si le sucre jouait son rôle ou si elle était superficielle au point qu'un cadeau si joliment emballé pouvait faire son bonheur.

Elle laissa le papier glisser entre ses doigts pour boire une gorgée de lait froid. Elle n'était pas pressée. Elle n'avait rendez-vous nulle part.

Après avoir fini son lait, elle prit une autre bouchée, puis lécha le glaçage accroché aux dents de la fourchette avant de la reposer enfin sur l'assiette. Puis elle prit la pochette et en sortit un petit objet qui tenait dans la paume de sa main. Elle déplia le papier chatoyant. Il contenait un médaillon.

Tandis qu'elle admirait les filigranes finement ouvragés, Violet se demanda qui le lui avait offert.

Puis elle l'ouvrit et se figea à la vue des deux photos en vis-à-vis.

C'était un cadeau de Jay.

Son cœur fit un bond dans sa poitrine. Elle le détestait; à cause de lui, elle se sentait complètement désorientée.

Les clichés dataient de leur année de CE1. Celui qui

représentait Jay avait toujours été l'un de ses préférés, surtout parce qu'elle était l'auteur de sa coiffure.

Le photographe avait distribué de petits peignes noirs à tous les élèves qui attendaient en rang et Violet avait décidé d'« arranger » la coiffure de Jay. Elle l'avait entraîné à la fontaine à eau, lui avait trempé les cheveux, puis les lui avait plaqués de part et d'autre de la raie en zigzag qu'elle avait tracée grâce au peigne. Il lui avait semblé parfait.

Et maintenant, en regardant cette photographie, sa coiffure de dingo et ses nouvelles incisives d'adulte trop grandes pour lui, elle en avait confirmation.

Il était ridiculement parfait.

Mais ça n'avait plus d'importance. Ce cadeau aurait été une attention adorable dans n'importe quelle autre circonstance. Mais pas là.

Cela ne changeait rien.

Il ne lui faisait pas confiance. Il ne la croyait pas. Et c'était tout ce qui comptait. Il ne pouvait pas effacer ça en lui déposant une surprise… mignonne ou pas.

C'était le pire cadeau qu'il pouvait lui offrir dans un moment pareil. Et c'était exactement le genre de dénouement auquel elle aurait dû s'attendre le jour du pire anniversaire de sa vie.

Elle remit le médaillon et le papier de soie au fond de la pochette et laissa le tout sur le plan de travail, à côté de sa part de gâteau entamée, avant de remonter dans sa chambre d'un pas décidé.

« Crétin. Crétin de Jay. »

Alors qu'elle commençait à peine à se sentir un peu mieux, il avait fallu qu'il vienne tout gâcher.

Paresse

*L*e silence s'installa, annonçant le moment de la nuit qu'elle préférait.

Elle sortit de sa chambre à pas de loup. Le vieux plancher craquait par endroits, mais elle savait où marcher pour empêcher les lattes de trop grincer. La maison était sombre comme elle l'aimait. Et calme.

De la vaisselle sale traînait partout dans le salon et des journaux grands ouverts étaient posés n'importe où. Du linge – sale et propre – jonchait le sol, et des bouteilles encombraient la table basse devant la télévision.

Sans perdre une seconde, elle ramassa les journaux, rapporta les assiettes et les bouteilles à la cuisine, plia le linge et jeta ce qu'il y avait à jeter à la poubelle. Elle essaya de ne pas respirer l'odeur âcre de whisky bon marché qui se mêlait aux relents de cigarette et qui collait à tout ce que son père touchait – ses vêtements, sa peau, son haleine. Rien que l'idée que ces odeurs – ses odeurs – entrent en contact avec elle la dégoûtait.

Elle se répétait de les ignorer ; plus vite elle aurait terminé, plus vite elle pourrait retourner se coucher.

Lorsqu'elle entendit une porte s'ouvrir au bout du couloir plongé dans le noir, son cœur cessa de battre.

Des bruits de pas lourds résonnèrent sur le parquet, moins discrets que les siens, et chaque craquement lui tira une grimace.

— Qu'est-ce que tu fabriques? marmonna son frère, les yeux mi-clos, et elle se remit enfin à respirer. Ça peut attendre demain matin.

Elle fit signe que non. Elle ne voulait pas lui dire la vérité, à savoir qu'elle préférait s'acquitter de ses corvées quand leur père n'était pas dans les parages. Que le lendemain matin, il risquait d'être là. Qu'elle serait peut-être obligée de le voir, de lui adresser la parole.

— Je n'arrivais pas à dormir, mentit-elle.

— Laisse-moi au moins t'aider, proposa-t-il, débarrassant le plan de travail et portant le reste de la vaisselle dans l'évier.

Elle eut envie de se confier à lui, de lui demander comment il arrivait à supporter cette version inutile de leur père. Comment il arrivait à supporter tout ça.

Mais elle connaissait la réponse: il était plus fort qu'elle; et cela depuis toujours. Même quand ils étaient petits, c'était toujours elle qui trébuchait, elle qui avait besoin de quelqu'un pour se relever et frotter ses genoux et ses mains. C'était elle qui avait besoin de leur mère.

Il s'était toujours montré si indépendant, si déterminé à mener sa vie dans son coin. Il était intelligent, sociable, fort. Tout le contraire d'elle.

Parfois, elle se demandait même s'il avait remarqué que leur mère était partie. Que leur père n'était plus le même. Et qu'elle-même était brisée... en mille morceaux.

Elle avait envie de lui parler mais elle ne le ferait pas; elle ne voulait pas qu'il voie à quel point elle était faible. Elle termina la vaisselle en silence.

Tandis qu'elle se séchait les mains, son frère referma le sac-poubelle.

— Allez, va te coucher.

Il y avait de la sincérité dans son sourire, peut-être même de la gentillesse.

— J'éteindrai quand j'aurai terminé.

Elle acquiesça d'un signe de tête et regagna sa chambre, faisant attention à chacun de ses pas, calculant soigneusement l'endroit où elle devait poser le pied pour ne pas réveiller son père.

CHAPITRE 22

Violet retourna au lycée le lendemain matin. Elle savait que repousser son retour plus longtemps ne servirait à rien. Il fallait qu'elle en passe par là tôt ou tard. Mais se retrouver sous le même toit que Jay ressemblait à une danse à la chorégraphie délicate. D'autant que Jay n'était pas la seule personne qu'elle devait éviter.

Il y avait aussi Megan. Et si garder ses distances avec elle n'avait jamais posé de problème par le passé, Violet avait désormais conscience qu'à tout moment, alors qu'elle s'y attendrait le moins, il y avait un risque pour que leurs chemins se croisent.

En ce qui concernait Jay, c'était une autre histoire. Ils avaient des cours en commun, et l'éviter complètement relevait de l'impossible. Mais Violet fit tout ce qui était en son pouvoir pour rester loin de lui.

Elle arriva parmi les premières en cours et demanda à des élèves de changer de place avec eux – ce qui lui valut quelques regards de travers, même si personne ne se plaignit ouvertement.

Mais malgré ces précautions, elle était mal à l'aise. Elle sentait son regard posé sur elle, l'implorant de regarder vers lui, la mettant au défi d'arriver à l'ignorer.

Et c'était une gageure. Elle avait envie de tourner la tête, de jeter un coup d'œil à la dérobée, juste pour le voir un instant. Mais c'était trop risqué. Elle savait qu'il la guettait, qu'il attendait qu'elle craque.

À la fin de la quatrième heure, il l'attendait dans le couloir. Le voir là, devant elle, rester détachée alors qu'il semblait si honnête, si sincère, lui fit l'effet d'une épreuve. Il avait les yeux rouges et fatigués, l'air résigné avant même d'avoir ouvert la bouche.

Quand Violet essaya de forcer le passage, il l'attrapa par la main et la tira en arrière.

— Violet, s'il te plaît... parle-moi.

Si elle avait souffert de le voir, entendre sa voix était encore pire. Elle était cassée et chargée d'émotion. Il paraissait si malheureux.

Non, elle ne pouvait pas le laisser lui faire ça. Elle devait se montrer plus forte.

— Jay, arrête. Je ne veux pas te parler. Laisse-moi tranquille.

Elle voulait ajouter *s'il te plaît*, le supplier de s'éloigner au cas où elle-même n'en serait pas capable, mais ce mot lui faisait peur. Il était trop doux, et elle craignait qu'il ne révèle ses sentiments véritables.

Elle libéra sa main. Et cela la rendit folle qu'il la laisse partir, en dépit de ce qu'elle venait de dire. Elle ne se retourna pas, consciente toutefois de ce qu'il la suivait des yeux et mourant d'envie de faire demi-tour et de retirer tout ce qu'elle avait dit.

Elle voulait lui dire que tout cela n'avait pas d'importance, qu'elle se fichait de ce qu'il pouvait penser, ou croire, car elle l'aimait et elle avait besoin de lui.

Mais elle ne pouvait pas faire ça. Parce que tout cela était important.

Pour ne pas prendre le risque de recroiser Jay, Violet passa le déjeuner enfermée dans sa voiture.

En consultant son répondeur pour la millième fois de la matinée, elle se surprit à être déçue de ne pas avoir de message de Sara Priest.

Une part d'elle, et elle ne savait plus si cette part était si petite que ça, espérait que Sara n'avait pas encore tiré un trait sur elle.

Ces derniers jours, Violet avait eu le temps de réfléchir à ce qui s'était passé, notamment à la façon dont Sara Priest était entrée dans sa vie… avec la découverte du petit garçon. Et maintenant, tout lui semblait un peu plus clair. Et ce qui aurait dû l'effrayer, voire la déstabiliser, vu que tout le reste était sens dessus dessous, lui paraissait au contraire parfaitement limpide.

Son comportement depuis quelques mois, sa tendance à se renfermer, à garder Jay – et son entourage en général – à distance, de crainte qu'ils ne s'approchent trop.

Elle avait eu si peur que quelqu'un d'autre ne soit à nouveau blessé par sa faute.

Désormais, elle comprenait que ce n'était pas sa faute. Elle n'y était pour rien, elle n'avait pas à se sentir coupable d'être née avec ce don, de même qu'elle n'aurait pas eu à s'en vouloir d'en être dépourvue. Cela faisait partie d'elle.

Et Violet ne voulait plus vivre comme si cette part d'elle n'existait pas. Elle n'avait pas à en avoir honte – à avoir honte tout court. Elle pouvait d'ailleurs se révéler précieuse. Cela avait déjà été le cas.

Et Violet se rappela ce qu'elle avait éprouvé quand elle avait traqué le tueur en série. C'était comme si elle avait eu un but dans la vie.

Elle s'était sentie bien. Utile. Vivante.

C'était à ça qu'elle aspirait. Elle voulait trouver un moyen de revivre ces émotions, de donner un sens à son don.

Elle n'avait plus envie de se cacher ou d'avoir des secrets, du moins pas avec les gens à qui elle faisait confiance.

Peut-être que Rafe avait raison ; peut-être que Sara Priest était la solution.

Sauf si Sara Priest n'était plus intéressée. Sauf si Sara Priest en avait eu assez d'attendre qu'elle se décide.

Mais Violet aurait le temps de s'en inquiéter plus tard. Il y avait d'autres questions auxquelles elle devait répondre dans l'immédiat.

À qui pouvait-elle accorder sa confiance, justement ?

Violet attendit le plus longtemps possible dans sa dernière salle de cours avant de s'aventurer dans les couloirs presque déserts puis sur le parking. Le lycée était calme – étrangement calme – mais Violet préférait ça.

Rien que l'idée d'apercevoir Megan ou, pire, de la croiser lui donnait la chair de poule.

Alors quand elle entendit une voix féminine l'appeler, ses jambes se dérobèrent sous elle. Puis elle reconnut le ton abrasif de Chelsea.

Sans se retourner, elle sourit intérieurement en attendant que son amie la rattrape.

— Hé, t'es sourde ? Il y a le feu quelque part, ou quoi ? se plaignit cette dernière d'une voix exagérément essoufflée. (Mais son énervement fut de courte durée.) Ça t'ennuie de me ramener, dis ? demanda-t-elle. Je suis venue avec July ce matin, mais elle reste à la bibliothèque avec Claire pour travailler sur leur devoir de sciences, et je n'ai vraiment pas envie de traîner ici. D'autant que tu n'es pas sans savoir que Mme Hertzog me déteste. (Puis elle ouvrit de grands yeux.) Au fait, j'ai failli oublier, s'exclama-t-elle en tirant de sa poche une feuille de cahier pliée qu'elle tendit à Violet. Jay m'a demandé de te remettre ça.

Le cœur de Violet se serra. Elle ne voulait pas la prendre, mais l'ignorer, la laisser dans la main de son amie, n'était pas non plus une option. Elle l'attrapa et la fourra dans sa poche.

Chelsea perdit un peu de sa désinvolture habituelle et elle se pencha vers Violet, comme si elle avait peur que quelqu'un ne voie ce côté de sa personnalité.

— Si ça peut te consoler, lui aussi a ses petits yeux tristes.

— De quoi tu parles, Chels?

Chelsea s'arrêta et fixa Violet.

— Jay. Je parle de Jay, Vi. Je pensais que tu aimerais savoir que tu n'es pas la seule à en baver. Il erre comme une âme en peine toute la journée, il fait pitié à voir. Il est complètement paumé.

Comme l'autre soir dans la chambre de Violet, une expression proche de la compassion passa sur le visage de Chelsea.

Violet ne savait pas comment réagir.

Par chance, Chelsea la compatissante eut tôt fait de mettre les bouts. Elle sembla se reprendre et, comme si on avait appuyé sur un interrupteur, le moment de gêne se dissipa et son amie de toujours fit son retour:

— Je te jure, chaque fois que je le vois, j'ai peur qu'il se mette à chialer comme une fille. Sérieux, Violet, c'est répugnant. Tu es la seule à pouvoir arrêter ça. Je t'en supplie, fais en sorte que ça cesse.

Malgré elle, Violet ne put s'empêcher de sourire au portrait absurde que Chelsea peignait de Jay.

— Je suis sûre qu'il va bien, Chels. Et sinon, il survivra.

— Je sais, fit Chelsea en secouant la tête. Ce que je veux dire, c'est que... on peut en discuter si tu veux...

Elle laissa sa proposition en suspens.

Et Violet se sentit coupable de ne pas la saisir. Elle aurait aimé pouvoir lui expliquer ce qui s'était passé. Elle aurait aimé pouvoir tout raconter à son amie, lui dire pourquoi Jay et elle s'étaient disputés, lui parler de Megan et de ce qu'elle avait vu chez Mike. Mais c'était impossible. Cela impliquait qu'elle lui parle de son don.

Quand Chelsea, la mine déçue, comprit qu'elle n'arriverait à rien, elle changea de sujet.

— Je me suis acheté un manteau trop mignon pour partir à la montagne la semaine prochaine! Tu sais, chaud mais pas trop, comme ça Mike devra quand même se coller à moi pour que je ne tombe pas en hypothermie.

Violet avait cessé d'écouter. Elle n'entendait plus que le sang circuler violemment dans ses oreilles.

Ses amis prévoyaient toujours d'aller au chalet. Évidemment. Comment avait-elle pu croire qu'ils annuleraient?

Arrivée à la voiture, Violet se glissa maladroitement à l'intérieur et déverrouilla la portière côté passager. Elle essaya de se concentrer sur ce que Chelsea racontait. Elle avait envie de l'interrompre pour lui poser les questions qu'elle n'oserait jamais formuler: *Jay était-il toujours du voyage? Envisageait-il d'y aller sans elle?*

Et Megan?

Violet agrippa le volant avec des fourmis dans les doigts. Elle dut se concentrer pour se rappeler ce qu'elle était censée faire ensuite, puis cela lui revint. Elle attrapa la clé et la tourna. Sa voiture s'anima en grondant.

Violet, amorphe, laissa sa passagère continuer à jacasser sans l'écouter, et ses paroles emplirent l'air de leur bourdonnement jusqu'à ce qu'elles arrivent devant chez Chelsea.

Violet pensa à dire au revoir, mais les mots sonnèrent creux. Elle avait l'impression d'être en train de disparaître, telle une ombre assise au volant de sa propre voiture, et elle se demanda comment son amie pouvait ne rien remarquer.

Ce n'est que lorsque Chelsea se retourna devant sa porte et qu'elle regarda Violet d'un drôle d'air que cette dernière se rendit compte qu'elle était toujours là, à regarder dans le vide.

Chelsea agita la main sans conviction.

Violet cilla, se rappelant qu'il était temps de partir. Elle passa une vitesse et démarra, sans prendre la peine de faire signe à Chelsea.

Violet s'arrêta au Java Hut, en proie au besoin de ne pas se retrouver seule. Elle espérait que le chaos qui régnait dans ce repaire de lycéens lui ferait du bien. Que le bruit pénétrerait, voire effacerait, le vide qui l'oppressait.

Mais quand elle s'arrêta sur le parking bondé et regarda à travers le pare-brise, elle eut un instant d'hésitation.

Elle savait qu'elle ne croiserait pas Chelsea ; elle venait de la déposer chez elle. Ni July et Claire ; elles travaillaient sur leur devoir de sciences à la bibliothèque du lycée. Ni Jay.

C'était mercredi, et Jay travaillait le mercredi.

Alors pourquoi était-elle soudain prise de doutes ? Qu'est-ce qui lui prenait ?

Elle n'en avait aucune idée, mais maintenant qu'elle était là, à voir ses camarades entrer et sortir du café animé, c'était le dernier endroit au monde où elle voulait être. Alors elle resta assise dans sa voiture, à les regarder vaquer à leurs occupations.

Elle ignorait depuis combien de temps elle fixait l'entrée, mais elle sut à quel instant précis son cœur se remit à battre. Au moment exact où la fille franchit la porte du Java Hut.

Megan était jolie. Petite et frêle. Et pendant une fraction de seconde, Violet crut comprendre pourquoi Jay avait du mal à concevoir que cette brindille délicate puisse être capable des atrocités dont elle l'avait accusée.

Elle sortait du café, suivie par deux de ses amies, à côté desquelles elle ressemblait à un lutin. On s'attendait que ce gabarit de danseuse se déplace avec grâce, fluidité, au lieu de quoi elle semblait méfiante et sur le qui-vive. Elle avançait tête basse, les bras serrés contre elle comme pour se protéger. Elle paraissait effrayée. Comme un animal traqué.

Mais ce ne fut pas pour ça que Violet eut le souffle coupé, et qu'elle tendit le cou pour mieux voir.

Ce ne fut pas non plus à cause d'un éclair de lumière blanche irradiant de la peau d'albâtre de Megan. Car Violet ne vit aucun éclair. Aucun flash. Aucune empreinte.

Violet ferma les yeux et les rouvrit, croyant s'être trompée. Elle était épuisée, peut-être que ses sens lui jouaient des tours. Mais non.

Megan n'avait rien fait.

Violet avait beau cligner des paupières et se répéter qu'elle avait bel et bien aperçu quelque chose dans les bois, elle ne pouvait pas voir de lumière ici et maintenant si elle n'existait pas.

Elle essaya de comprendre, d'imaginer ce qu'elle avait pu voir. Quelqu'un d'autre se trouvait-il chez les Russo le soir où l'électricité avait sauté? Quelqu'un qui était responsable de la mort du chat? Ou alors c'était Jay qui avait raison depuis le début. Peut-être qu'elle n'avait pas vu d'écho, peut-être que c'était une lampe de poche, la flamme d'une bougie...

Violet n'en savait rien. Mais elle était désormais certaine d'une chose: Megan n'avait pas tué ce chat. Elle ne portait pas d'empreinte. Violet s'était trompée. Et la vérité faisait mal. Avoir accusé cette fille d'un acte aussi épouvantable. Et s'être disputée avec Jay...

Jay.

Comment allait-elle arranger ça? Comment allait-il lui expliquer?

Et s'il refusait de l'écouter?

Hébétée, Violet regarda Megan monter en voiture avec ses amies, et elle se rendit compte qu'il fallait qu'elle la retienne. Le chat, les appels anonymes, le mot – la jeune fille n'y était peut-être pour rien. Violet l'avait accusée et elle devait s'excuser. Tant pis si Megan ne comprenait pas.

Violet attrapa fébrilement la poignée, les doigts gourds. Mais il était déjà trop tard; la voiture sortait du parking. Elle la suivit du regard avec un sentiment d'impuissance.

Une fois devant le magasin de pièces automobiles, Violet hésita. Elle ne voulait pas déranger Jay au travail, mais d'où elle se tenait, elle voyait qu'il était seul, et elle ne pouvait pas attendre une seconde de plus pour lui parler.

Elle avait besoin de lui dire qu'elle s'était trompée.

Lorsqu'elle poussa la porte, il leva le nez de la caisse. Le cœur de Violet fit un bond dans sa poitrine, l'empêchant de respirer.

Son visage se décomposa et le discours qu'elle avait répété se perdit dans un gémissement lorsqu'elle le vit contourner le comptoir pour se précipiter vers elle. Sans un mot, il referma ses bras sur elle et l'étreignit. C'était sa façon de lui signifier qu'il était soulagé de la voir.

Elle enfouit son visage dans sa veste, inhalant son odeur familière. Elle s'agrippait à lui, incapable de se retenir, même si elle ne le méritait pas.

— Bon sang, Violet, je suis tellement désolé. Tellement, tellement désolé...

Il appuya son visage contre le dessus de sa tête, et soudain elle comprit qu'il avait besoin d'elle autant qu'elle avait besoin de lui.

Elle se rapprocha encore, collant son corps contre le sien, craignant de voir la magie de l'instant s'effriter s'ils se séparaient. Comme s'il lisait dans ses pensées, ses bras se contractèrent et elle sentit son cœur tambouriner, la ramenant à la vie.

Elle tenta de lui dire, de lui expliquer, mais sa voix n'émit qu'un soupir étranglé.

— Chut, dit-il, la plaquant contre lui. S'il te plaît, écoute-moi. Je n'en peux plus. Tu as gagné. J'ai eu tort. Je n'aurais jamais dû douter de toi. Je te fais confiance. Je t'aime et je n'en peux plus. Je ne veux plus qu'on soit… séparés.

Finalement, ses bras se détendirent, libérant Violet. Elle sentit qu'il se tassait et que son cœur frissonnait.

— S'il te plaît…, ajouta-t-il.

Violet ne voulait pas qu'il soit désolé, mais elle était encore incapable de parler. Secouant la tête, elle frotta sa joue contre sa poitrine, essayant de lui faire comprendre. Elle passa ses bras autour de sa taille, sous sa veste, et attrapa son tee-shirt à pleines mains, refusant de le lâcher.

Il n'en fallut pas plus à Jay. Ses mains se posèrent sur elle, émouvantes, rassurantes. Il l'enlaça. Il embrassa le sommet de son crâne. Et ses joues.

Il attendait qu'elle soit prête.

Et quand le pouls de Violet revint enfin à la normale, elle fit une nouvelle tentative.

— C'est moi qui suis désolée, Jay, dit-elle, et cette fois, elle ne bafouilla pas. Je me suis trompée… sur toute la ligne. Je n'aurais pas dû tirer de conclusions aussi hâtives, ou te forcer à admettre que j'avais raison. Je n'aurais pas dû te repousser.

Elle tremblait. Jay la pressa à nouveau contre lui, lui communiquant son calme.

— Chuuut…, souffla-t-il dans ses boucles noires.

— Non, laisse-moi terminer.

Elle se racla la gorge et renversa la tête en arrière pour pouvoir le regarder.

Elle se sentit responsable de ce qu'elle vit. Ses yeux étaient rougis et Chelsea avait raison : il semblait au bout du rouleau. Elle se sentait exactement dans le même état.

Mais quand il la regarda avec son sourire en coin plein de tendresse, elle se sentit immédiatement mieux. Il était magnifique. Et il était à elle. Mais il fallait quand même qu'il comprenne.

— Jay, ce n'était pas Megan.

Les mots lui brûlaient la gorge comme du poison.

Le sourire de Jay disparut et l'estomac de Violet se contracta tandis qu'elle cherchait les mots justes.

— Qu'est-ce que tu dis ? demanda Jay, perdu.

— Ce n'est pas Megan qui a tué le chat. Soit ce n'est pas elle que j'ai vue à l'intérieur de la maison l'autre soir, soit ce n'était pas une empreinte. Je l'ai croisée aujourd'hui. Elle n'a rien tué du tout. Je me suis trompée. Je suis désolée.

Il ne répondit pas immédiatement et Violet sentit que quelque chose n'allait pas. Jay se raidit et il recula un peu, à peine, suffisamment toutefois pour que la distance qui les séparait lui parût immense.

Elle se souvint soudain qu'ils étaient dans le magasin de pièces détachées. Lovée dans les bras de Jay, elle avait réussi à l'oublier.

— Jay, non, supplia-t-elle. S'il te plaît. Moi non plus je ne peux pas vivre sans toi. Je ne veux plus qu'on soit séparés. Je voulais t'expliquer que j'ai eu tort…

Elle n'eut pas l'occasion de terminer, car Jay la ramena contre lui, sans plus laisser le moindre espace entre eux. Il se replia sur elle, l'enveloppa de ses bras, de son corps, et elle sentit qu'il secouait la tête.

Elle pouvait à peine bouger, à peine respirer, et quand il se remit à parler, elle comprit.

— Non, c'est moi qui ai eu tort. Je ne raisonnais pas correctement. Il aurait mieux valu que ce soit Megan. Maintenant c'est pire. Ça veut dire que tu n'es pas en sécurité, on n'a aucune idée de qui t'a laissé ce chat. Vi, quelqu'un a déposé un chat mort devant chez toi ! Une personne qui est toujours dans la nature. Tu dois avertir tes parents. Ton oncle. On doit trouver ce type.

Violet songea au mot qu'elle avait reçu, la feuille de papier rose et son poème inquiétant écrit dans une écriture fluide.

Elle leva la tête et fixa Jay, se rendant compte qu'il avait raison.

— Ou cette fille, rectifia-t-elle d'un air absent.

CHAPITRE 23

Violet n'en parla pas tout de suite à ses parents, ni même à son oncle. En fait, elle n'avait pas du tout l'intention de leur en parler. À la place, elle proposa une solution de rechange.

Jay se montra rien moins qu'enthousiaste. Il aurait préféré mettre l'oncle de Violet dans le secret.

Mais Violet resta inflexible, et insista pour laisser sa famille en dehors de ça. Elle ne voulait pas les alerter. Et, égoïstement, ne voulait pas qu'ils la couvent, qu'ils l'étouffent avec leur inquiétude. À tort ou à raison.

Elle voulait d'abord tenter une autre approche.

Jay accepta à contrecœur, mais seulement pour une durée déterminée : il lui accordait une semaine pour que son plan porte ses fruits, faute de quoi il arrêterait tout et mettrait lui-même sa famille au courant. Pour lui, la sécurité de Violet primait sur tout le reste.

Violet accepta ses conditions en rechignant, certaine que sa méthode était la bonne et fonctionnerait. Jusqu'au moment où il fallut qu'elle passe à l'acte.

Maintenant qu'elle était sur le point de la mettre à exécution, elle avait de sérieux doutes.

Elle jeta un coup d'œil nerveux au bout de papier dans sa

main puis releva les yeux vers le bâtiment délabré. C'était la bonne adresse. Elle vérifia encore une fois sur le panneau au carrefour – peut-être qu'elle avait mal lu et se trouvait devant le mauvais immeuble.

Non, c'était bien là.

Elle essaya de faire taire les réserves qui la titillaient d'être là après la tombée de la nuit et frictionna les petits cheveux qui se dressaient sur sa nuque.

Ce n'était pas exactement comme ça qu'elle avait imaginé les lieux. Elle avait tout dit à Jay à propos de Sara, y compris en quoi elle pourrait peut-être l'aider, mais elle s'était préparée à devoir attendre un jour ou deux avant d'obtenir une entrevue. Alors quand Sara lui avait donné rendez-vous le soir même, Violet avait été un peu prise de court. D'autant plus qu'elles devaient se retrouver à cette nouvelle adresse.

Violet avait appelé Jay au travail, sachant qu'il voudrait l'accompagner, pour lui expliquer que les choses allaient plus vite que prévu. Il lui avait proposé de s'absenter pour la rejoindre, mais ils savaient tous les deux que c'était une proposition vaine ; jamais il ne laisserait le magasin sans surveillance.

Violet fourra le bout de papier dans son sac à main d'où elle sortit une petite bombe lacrymogène. Au cas où. Elle plaça son doigt sur l'amorce et ouvrit sa portière.

Le fait que les lieux soient déserts aurait dû la rassurer, mais c'était tout le contraire. Elle avait l'impression d'être un appât.

Elle se dépêcha de monter les marches jusqu'à l'entrée éclairée et pressa le bouton ébréché de la sonnette. Elle l'entendit retentir quelque part à l'intérieur. Son doigt ne quittait pas l'amorce de la bombe, prêt à appuyer.

Une voix criarde s'éleva à côté d'elle et la fit sursauter.

— Je peux vous aider?

Violet fixa l'interphone en plastique noir. Elle qui se sentait déjà comme un ver au bout d'un hameçon, la voix de cette femme venait en plus de lui enrouler un leurre coloré autour du cou.

— Je viens voir Sara Priest, répondit-elle juste assez fort pour se faire entendre.

Il y eut un déclic à l'autre bout de la ligne, comme si l'appareil avait rendu l'âme. Puis plus rien.

« Zut! » pesta Violet à part elle. Peut-être qu'elle avait mal noté l'adresse, finalement. Peut-être qu'elle se trouvait vraiment au mauvais endroit.

Elle songea à sonner de nouveau, mais son instinct de conservation et la peur d'entendre la voix beaucoup trop sonore de cette femme l'en dissuadèrent. Elle resta plantée là, sa nervosité allant croissant de seconde en seconde.

Violet ne s'était pas rendu compte qu'elle était plaquée à la porte, jusqu'à ce que celle-ci s'ouvre et qu'elle bascule en arrière.

Son pied glissa, puis son coude et son épaule heurtèrent violemment l'encadrement. Elle entendit sa bombe lacrymogène tomber à ses pieds tandis qu'elle battait des bras pour se raccrocher quelque part.

Son dos frappa quelque chose. Ou plutôt *quelqu'un*. Et derrière elle, elle sentit des bras musclés la rattraper avant qu'elle ne touche le sol. Mais elle était trop abasourdie pour réagir immédiatement.

— Tu penses que je peux te lâcher, maintenant? gloussa une voix grave dans son oreille.

Jetant un coup d'œil par-dessus son épaule, elle fut mortifiée de découvrir qui venait de l'empêcher de tomber.

— Rafe! s'exclama-t-elle. (Elle bondit sur ses pieds et se dégagea, subitement prise de vertiges.) Euh, merci.

Elle se baissa, embarrassée, tentant d'éviter son regard tandis qu'elle ramassait la bombe lacrymogène qui lui avait échappé, maudissant sa maladresse. Quelle importance si Rafe l'avait rattrapée? S'il était là?

Elle se redressa pour lui faire face, ayant retrouvé un peu de son calme, et s'empressa de cacher la preuve de sa paranoïa dans son sac.

Il l'observait sans rien dire et elle aperçut l'ébauche d'un sourire à la commissure de ses lèvres. Elle attendait qu'il ouvre la bouche ou qu'il s'efface pour la laisser entrer. Son regard lui ôtait tous ses moyens, de sorte qu'elle se sentait encore plus vulnérable que dans la rue déserte.

Trépignant, elle finit par souffler avec impatience.

— J'ai rendez-vous, annonça-t-elle, les sourcils levés. Avec Sara.

Ses paroles eurent l'effet désiré et Rafe haussa les épaules tout en s'écartant sans cesser de l'étudier. Elle passa à côté de lui en le frôlant, essayant d'ignorer le fait qu'elle était subitement en train de se liquéfier dans son manteau.

C'était sûrement le chauffage: rien à voir avec l'humiliation d'être tombée; ni avec la présence de ce garçon brun ténébreux. Bien entendu.

Arrivé tout au bout du couloir, Rafe sortit une épaisse carte en plastique de sa poche arrière. Au moment où il la plaça devant le boîtier noir accroché au mur à côté de la porte, un petit voyant rouge vira au vert et on entendit un déclic. Il poussa la porte et entra avant elle.

« Sécurité, pensa Violet. Va savoir ce qu'ils fabriquent ici, mais la sécurité est primordiale. »

Elle aperçut une petite caméra installée dans l'angle au-dessus de la porte.

Elle se dépêcha d'emboîter le pas à Rafe avant que la porte ne se referme et qu'elle ne se retrouve coincée dehors.

La pièce dans laquelle elle entra ne ressemblait en rien à ce qu'elle avait imaginé, surtout après ce qu'elle avait vu du couloir. Derrière la porte sécurisée et sa caméra se déployait un espace gigantesque d'une hauteur de plafond d'une dizaine de mètres. C'était sans doute un ancien entrepôt reconverti en un centre d'affaires à l'atmosphère feutrée. Il ressemblait à l'idée que Violet se faisait d'une grande agence de publicité. Spacieuse, aérée, confortable.

Au lieu d'être divisée en postes de travail séparés, la pièce était d'un seul tenant, un grand espace ouvert équipé d'ordinateurs installés sur de longues tables. Il y avait des bureaux individuels, des tables de réunion et des zones de réception. Il y avait même une vaste salle de repos, avec une cuisine équipée et des distributeurs.

Et il y avait des caméras. Des tonnes.

La seule chose qui manquait était des fenêtres ; seuls quelques velux étaient percés dans le plafond pour laisser entrer la lumière naturelle.

Tout cet espace lui donnait le tournis.

Soudain, Sara, l'agent-qui-n'en-était-pas-vraiment-un, s'avança vers elle dans son tailleur amidonné.

Violet s'efforça de faire preuve d'un peu d'enthousiasme. C'était elle qui avait demandé ce rendez-vous, après tout.

— C'est un plaisir de vous revoir, Violet. Je suis heureuse que vous ayez décidé de venir. Je vous fais visiter ?

Violet craignait que Sara ne lui serve un discours de propagande, qu'elle n'ait mal compris le motif de sa visite. Elle se sentit tout à coup extrêmement nerveuse.

— Non, merci, déclina-t-elle en secouant la tête. Je pensais que nous pourrions simplement discuter.

— Aucun problème.

Sur quoi Sara inclina la tête vers Rafe, qui se tenait toujours à côté d'elles. Il comprit le message et s'éclipsa sans un mot.

Violet le regarda se diriger vers la cuisine et prendre une cannette de Coca avant de se laisser tomber sur un des canapés, où il disparut presque complètement parmi les coussins. Il attrapa une télécommande et fit défiler les chaînes sur l'un des écrans plats accrochés au mur. Violet fut étonnée de le voir s'arrêter sur les chaînes d'information nationales et passer en revue CNN, MSNBC, Fox News. Elle s'attendait sans doute à moins… sérieux. Il posa ses pieds sur la table, faisant comme chez lui.

— Alors, qu'en dites-vous ? demanda Sara.

Brutalement tirée de ses pensées, Violet se rendit compte qu'elle était en train de fixer Rafe. Gênée, elle détourna les yeux et fit semblant d'étudier les lieux.

— C'est…, hésita Violet, ne sachant que répondre. C'est impressionnant.

Elle aurait plutôt imaginé une minuscule officine, un endroit où Sara aurait pu gérer ses *affaires* dans une relative discrétion. Elle ne s'attendait pas à ce genre d'oasis, encore moins en plein cœur du quartier industriel de Seattle.

— On nous le dit souvent, répliqua Sara, se départant un peu de ses manières protocolaires. Il est plus facile d'aller et venir par ici sans se faire remarquer. Et nous devons éviter d'éveiller l'attention. C'est essentiel pour nos clients. Une discrétion absolue, à toute épreuve. Asseyez-vous.

Violet prit place sur un canapé. Les coussins étaient épais et moelleux et invitaient à se laisser aller. Violet lutta pour rester penchée en avant et garder une certaine crédibilité.

Sara se percha sur le bras d'un fauteuil, réussissant miraculeusement à ne rien perdre de sa raideur et de son professionnalisme.

— Vous savez, nous accomplissons de grandes choses, Violet. Mon équipe compte parmi les meilleures. La plupart de ses membres se sentent la responsabilité de mettre leur talent au service des autres. Ce qui m'amène à la question suivante : avez-vous eu l'occasion de regarder les rapports que je vous ai remis ?

Violet sentit ses paumes devenir moites.

Elle acquiesça.

Sara attendit la suite avant de se charger de remplir les blancs.

— Et rien ?

Violet esquissa un mouvement à mi-chemin entre un haussement d'épaules et un hochement de tête, ne sachant pas vraiment comment répondre. Elle se rendit compte qu'elle était à deux doigts de franchir le cap, d'en révéler plus qu'elle ne le souhaitait. Mais elle avait aussi besoin d'aide. Et Sara était sa meilleure option dans l'immédiat.

— Ce n'est pas grave. Je veux que vous sachiez que vous pouvez me faire confiance, Violet. Ce dont vous êtes venue me parler restera exclusivement entre nous.

C'était le moment, décida Violet.

— J'ai besoin de votre aide, lâcha-t-elle. Enfin, je me permets de vous la demander.

Violet observa Sara, déconcertée par son absence de réaction. Soit sa requête ne la surprenait pas, soit c'était une excellente dissimulatrice. Violet penchait plutôt pour la seconde hypothèse.

— Et en quoi pensez-vous que je puisse vous aider ?

Violet se rapprocha du bord du canapé.

— J'ai des ennuis. Chez moi. Enfin pas vraiment chez moi. Mais avec une personne qui ne semble pas beaucoup m'aimer, disons. (Tout à coup, les mots sonnaient faux.) J'ai reçu des messages. Des appels anonymes. Et un chat mort, ajouta-t-elle après avoir marqué une légère pause.

Sara perdit imperceptiblement de son aplomb.

— Vous êtes certaine qu'il vous était adressé? Comment savez-vous que vous n'êtes pas tombée dessus par hasard?

— On l'a déposé dans une boîte, à côté de ma voiture. La personne qui l'a mis là a agi en pleine nuit pour que je le trouve le matin. Et quelques jours plus tard, ajouta-t-elle en sortant le papier rose, j'ai reçu ça au lycée.

— Je peux? demanda Sara, la main tendue.

Violet le lui remit et attendit qu'elle prenne connaissance de son contenu.

— Qu'est-ce que vous en pensez? finit-elle par demander en se mordillant nerveusement la lèvre.

Sara replia la feuille sans la rendre à Violet.

— C'est clairement un avertissement. Et vous pensez que Rosie serait ce chat, c'est ça?

Violet fit signe que oui.

— Bon. Et les appels?

— Le plus souvent, la personne raccroche presque immédiatement. Parfois, elle reste un peu plus longtemps en ligne. J'ai essayé de lui parler, mais elle ne me répond jamais. Je pensais savoir qui c'était, admit Violet. Mais en fait, je me trompais.

Sara posa la question suivante sans quitter Violet des yeux.

— Comment pouvez-vous être aussi sûre de vous?

Violet préféra rester vague; elle voulait à tout prix éviter d'impliquer Megan. Elle en avait déjà assez bavé.

— Je le sais. Ce n'était pas elle.

Sara pesa les mots de Violet tout en la scrutant. Son expression n'était pas tant soupçonneuse qu'inquisitrice. L'adolescente avait l'impression de subir un interrogatoire muet.

— Alors vous pensez que c'est une fille? demanda finalement Sara. Ou plutôt: Vous pens*iez* que c'était une fille?

— Ouais, admit-elle en haussant les épaules. Le mot. Et l'écriture...

Il y avait mieux comme preuves. Et un garçon aurait pu travestir son écriture, supposait-elle.

— L'écriture est résolument féminine, convint Sara. De même que le ton. Cependant, tuer des animaux est plutôt un comportement masculin. Non pas que l'inverse soit impossible, cela dit. Tout est possible. J'ai vu des personnalités terribles, et extrêmement contradictoires, dans mon métier. Puis-je garder ce mot?

Violet opina avec empressement. Pleine d'espoir.

— Alors vous allez m'aider?

Sara se pencha en avant, les coudes sur les genoux.

— Bien sûr, Violet. Je vais faire tout mon possible pour découvrir qui a fait ça. Avez-vous d'autres pistes? Des soupçons sur quelqu'un d'autre? Est-ce que vous vous êtes fait des ennemis récemment?

Violet n'avait pas arrêté de tourner et retourner la question dans sa tête. Elle commença à faire signe que non, puis s'immobilisa. Une fille la détestait, une fille qui avait pris soin de s'assurer que Violet sache à quel point elle lui en voulait.

— Lissie Adams. *Elisabeth* Adams, répondit Violet. Elle est dans mon lycée.

Violet essaya de se rappeler la dernière fois qu'elle l'avait vue. Elle ne s'en souvenait pas exactement, peut-être avant qu'elle ne trouve le chat.

Sara griffonna le nom de Lissie sur un carnet qu'elle avait sorti de sa poche.

— Puis-je vous demander une dernière chose avant de vous laisser partir?

Violet hocha la tête, un peu plus timidement cette fois-ci.

— J'ai cru comprendre que vous n'aimiez pas en parler et je respecte votre choix. J'espère que le moment viendra où vous vous sentirez prête à vous confier à moi.

Sara posa la main sur le genou de Violet. Le geste se voulait encourageant, mais Violet le trouva terrifiant. Sara lui signifiait qu'elle l'invitait à partager ses secrets avec elle.

— Je sais que vous ne me direz pas ce dont vous êtes capable. Mais pouvez-vous répondre à cette question? (Puis, sans attendre de savoir si Violet en avait envie ou non, elle demanda:) Vous êtes capable de quelque chose, n'est-ce pas?

CHAPITRE 24

Violet était rentrée chez elle dans le silence le plus complet, sans même la radio pour couvrir le bourdonnement qui emplissait son crâne. Elle préférait le calme ; cela lui permettait de mettre à plat ce qui venait de se passer.

Comment Sara avait-elle réussi à lui faire admettre qu'elle avait un secret ?

Elle se détestait de ne pas avoir rattrapé le coup après avoir hoché la tête. Elle avait été prise de vertiges, de regrets. Elle aurait voulu l'effacer… ce léger mouvement du menton, presque imperceptible. Mais c'était trop tard. Ce qui était fait était fait. Et Sara l'avait vu.

À un moment donné sur le trajet du retour, elle avait aussi pris conscience de ce que, hormis le désarroi que son aveu lui causait, autre chose avait changé de façon inattendue : elle avait l'impression qu'on lui avait ôté un fardeau.

Bah, c'était sûrement le fruit de son imagination. Sans doute une forme de folie latente qui montrait enfin son horrible visage. Ça devait être ça. Elle était dingue. Cela expliquait tout, en fait. Les échos, les chats morts, les tueurs en série…

Pourtant, que ce soit ses aveux à Sara, ou le fait d'avoir découvert que Megan n'était pas la personne qui la harcelait, ou de s'être réconciliée avec Jay, elle se sentait mieux. Et c'était beaucoup plus agréable que de s'apitoyer sur son sort et de se complaire dans le dégoût et la peur.

Elle n'allait pas trop se poser de questions. La folie n'était peut-être pas une si mauvaise chose, après tout.

D'autant qu'elle avait dormi d'un sommeil profond, sans rêves. Quand Jay passa la prendre pour aller au lycée, elle se sentait de nouveau vivante. Et heureuse.

— Bonjour, lança-t-elle joyeusement lorsqu'il entra sans frapper dans la cuisine, marchant d'un pas lourd.

Il lui lança un regard noir, les yeux plissés.

— Tu parles, maugréa-t-il.

Violet attrapa son sac à dos en riant. Elle n'était pas étonnée qu'il boude ; il faisait déjà la tête quand elle l'avait quitté la veille, après qu'il avait accepté de la laisser gérer les choses à sa manière.

Elle s'approcha de lui et l'embrassa sur la joue. Elle voulait qu'il écoute attentivement ce qu'elle avait à dire.

Par chance, il ne fallait pas grand-chose pour capter l'attention de Jay. Il l'enlaça et posa ses lèvres sur les siennes. Ce n'était pas vraiment ce qu'elle avait en tête, mais elle n'allait pas s'en plaindre. Elle laissa son sac tomber par terre.

Sa bouche lui avait manqué. La chaleur de sa peau.

Elle se perdit dans un premier baiser, puis un deuxième. Elle voulait rester comme ça, s'offrir à lui. Il l'embrassa jusqu'à ce que ses lèvres soient gonflées et à vif, en réclamant pourtant encore.

Mais elle avait une annonce à lui faire, une annonce importante.

Après un moment, elle se rappela de quoi il s'agissait.

Elle écarta son visage du sien, souriant devant son air frustré. Elle lui planta un dernier baiser malicieux sur les lèvres.

— Elle va nous aider, déclara-t-elle, contente d'elle.

Jay reprit ses esprits et sa moue renfrognée réapparut.

— Tu en es sûre ? Qu'est-ce qu'elle a dit ?

— Tu n'as aucun souci à te faire. Ça s'est bien passé. Je lui ai tout expliqué et je lui ai laissé la lettre. (Violet pencha la tête sur le côté et sourit.) Elle a promis de s'en occuper.

Elle vit sa mâchoire se contracter ; elle savait que c'était difficile pour lui, de la laisser gérer les choses à sa manière. Puis il soupira, même s'il donnait plutôt l'impression de s'étrangler ; Violet savait qu'il lui coûtait énormément de se contrôler. Elle faillit pouffer – sans doute un autre symptôme de sa démence fraîchement déclarée – mais réussit à se retenir.

Ne le voyant pas réagir, ni même bouger, Violet l'interrogea en haussant les sourcils :

— C'est clair ?

S'entendre parler comme une institutrice grondant un élève s'étant écarté du droit chemin faillit lui faire perdre son sérieux pour de bon.

Jay plissa le front comme s'il essayait de se décider et Violet se radoucit.

Elle ramassa son sac à dos et, de sa main libre, le prit par le bras.

— Ça va aller, chuchota-t-elle. Fais-moi confiance.

— Oh ! Regarde, July, ils se sont rabibochés. Ils ne sont pas mignons ? se moqua Chelsea tandis qu'elle posait son plateau sur la table.

Mais malgré sa voix dégoulinante de sarcasme, elle profita d'un moment où Jay avait le dos tourné pour adresser un clin d'œil à Violet.

Mike surgit derrière elle et lui plaqua les mains sur les yeux. Grâce à Dieu, l'opération moustache avait pris fin ; sa lèvre était rasée de près.

— Devine qui c'est, demanda-t-il, et Violet eut un sourire goguenard.

Si Chelsea avait surpris Jay en train de se livrer à un jeu aussi puéril avec Violet, elle l'aurait laminé. Mais avec Mike, elle jouait le jeu sans ciller.

Mike n'avait pas encore eu le temps de s'asseoir à côté d'elle qu'ils s'embrassaient déjà.

C'en était presque embarrassant. Mais ce n'était pas la raison pour laquelle Violet se sentait dans ses petits souliers. Elle se demandait ce que Mike penserait s'il apprenait ce qu'elle avait raconté sur sa sœur.

Elle devait se rappeler qu'il n'en savait rien. La seule personne à être au courant était Jay, et jamais il ne lui en soufflerait mot.

Lorsque Claire les rejoignit, son visage s'éclaira.

— Violet! Tu es revenue! s'exclama-t-elle, attirant l'attention sur l'intéressée, laquelle s'en serait bien passée.

— Hé, fit Mike, qui n'avait pas remarqué sa présence jusqu'ici. Bon retour parmi nous. Chelsea m'a dit que tu avais été très malade.

Chelsea décocha un nouveau clin d'œil à Violet, moins subtil que le premier.

— Ça va mieux, répondit Violet, souriant à son amie.

— Bien, se réjouit Chelsea. Donc tu ne vas pas nous laisser en plan ce week-end.

Violet la fixa avec un regard vide.

— Ce week-end…, lui rappela Chelsea. Le chalet. Tout le monde est toujours partant, hein?

Elle adressa un sourire éblouissant à Mike, lequel n'était apparemment pas de taille à lui résister.

— Carrément, répondit-il, lui retournant son large sourire.

« Ce week-end! Déjà! C'est dans quoi? Deux jours?»

Violet chercha les yeux de Jay pour qu'il lui vienne en aide.

— Je ne sais pas… bredouilla-t-elle. Je ne suis pas sûre que ce soit raisonnable.

Elle n'arrêtait pas de penser à Mike et à sa famille. Passer deux jours avec eux à la montagne, dans un petit chalet enfoui sous la neige. Avec elle – *Megan*. Violet ne s'en sentait pas capable.

Comme d'habitude, Jay comprit les réticences de Violet.

— Peut-être que Violet a raison. Elle commence tout juste à se remettre. Elle devrait peut-être y aller mollo ce week-end.

— Moi, j'y vais, le coupa Claire.

Chelsea jeta un regard impatient à Claire puis l'ignora.

— Tu te fous de moi ! se plaignit-elle à Violet. On a tout prévu. Tu ne peux pas nous laisser tomber maintenant. Il faut que tu viennes. S'il te plaît, Vi, je ne te demande jamais rien.

— Ben voyons ! rétorqua Violet.

— OK, bon, mais allez, c'est important. (Chelsea se tourna vers Jay.) Tu ne songes quand même pas à nous planter aussi ? le menaça-t-elle en le fusillant du regard.

— Ah non, mec ! s'insurgea Mike, comprenant enfin ce que l'absence de Violet impliquait. Vous devez venir. Mon père sera à peine là, nous aurons l'endroit pour nous tout seuls.

Jay secoua la tête, et même si Violet savait qu'il attendait ce week-end avec impatience, elle l'entendit répondre :

— Désolé, je ne veux pas qu'elle retombe malade.

Violet se mit soudain à culpabiliser. Visiblement, leurs plans reposaient sur elle. Si elle n'y allait pas, Mike se retrouverait coincé avec une bande de filles et son père. En plus,

Chelsea ne lui pardonnerait jamais une trahison aussi flagrante.

Mais un week-end entier avec Megan…

Qui n'avait rien fait, se rappela de nouveau Violet. Et qui n'avait aucune idée des soupçons qui avaient pesé sur elle.

Elle n'avait aucune raison valable de ne pas y aller.

Elle renversa la tête vers Jay, ignorant les regards que Chelsea dardait sur elle.

— Tu as envie d'y aller, hein ?

Jay lui répondit avec un grand sourire et se pencha vers elle.

— Je ne veux pas t'imposer quoi que ce soit si tu n'es pas prête. Je ferai ce que toi, tu veux. Ne te laisse pas intimider par Chels.

— Je t'entends, protesta l'intéressée.

Jay eut un petit rire mais ne quitta pas une seconde Violet des yeux.

— Et si on en reparlait quand tu auras réfléchi ?

Elle lui retourna son sourire. Qu'avait-elle fait pour avoir autant de chance ?

Derrière elle, elle entendit Chelsea jubiler.

— Ils viennent. C'est sûr, ils viennent.

Envie

*E*lle se tenait à la lisière de la cafétéria. Cachée. À observer.

Elle détestait voir Mike rire avec ses amis, le voir parfaitement intégré à leur groupe.

Elle aussi voulait trouver sa place. Quelque part. N'importe où.

Elle avait cru que ce serait peut-être différent cette fois-ci. Que cette ville, cette école étaient peut-être spéciales. Que cette fois, elle aurait de vrais amis.

C'était idiot, maintenant elle le savait. Un rêve de gamine. Et elle n'était plus une gamine. Depuis longtemps.

Elle retourna le laissez-passer dans sa main, caressant le papier entre le pouce et l'index, lui intimant de lui donner la force qui semblait lui faire défaut. Elle voulait demander de l'aide à quelqu'un, mais apparemment, elle n'était pas assez courageuse pour ça.

Combien de fois prendrait-elle rendez-vous chez le psychologue scolaire pour changer d'avis avant d'arriver devant son bureau ? Combien de fois pouvait-on être déçu par soi-même ?

Elle fixait son frère avec envie, sans quitter le poteau qui la protégeait des regards.

Lui non plus n'avait pas sa place ici ; seulement, il ne s'en rendait pas compte. Il ne valait pas mieux qu'elle – au contraire. C'était son frère ; il était censé la protéger, s'occuper d'elle. Et pourtant il n'avait aucune idée de ce qu'elle endurait.

Soudain, il leva la tête et Megan se ratatina derrière le poteau pour qu'il ne la voie pas en train de l'espionner. Elle serra le poing autour du bout de papier et attendit.

Son cœur battait trop vite. Elle ne voulait pas qu'il la repère ; elle ne voulait pas se retrouver face à lui alors qu'elle était dans cet état.

Le désespoir la gagnait.

Elle aussi avait des amis. Peut-être pas les amis dont elle rêvait, mais il y avait des gens avec qui elle traînait pour ne pas passer pour une asociale.

Mais ce n'était pas ce qui était prévu. Ici, les choses devaient se passer autrement.

Le premier jour, elle y avait cru.

Elle allait faire des efforts ; elle allait demander de l'aide, se confier à quelqu'un. Et c'était ce qu'elle avait fait, comme jamais, quand elle l'avait rencontré…

Jay.

Il dépassait toutes ses espérances. Il s'était mis en quatre pour qu'ils se sentent accueillis – pour qu'elle se sente accueillie. Quand il avait souri en se présentant, elle avait vraiment ressenti quelque chose. Avec ce sourire, il lui disait qu'il serait son ami. Et un jour, peut-être, davantage.

Mais elle se rappelait aussi cet autre instant, elle en gardait un goût amer. L'instant où elle avait compris qu'il avait déjà une copine.

Dès lors, Megan avait cessé de se sentir spéciale.

Enfin oui et non. Car Jay avait continué à lui sourire. Il avait continué à lui proposer de se joindre à eux, allant même jusqu'à se servir de son frère pour être près d'elle. Donc visiblement, cette fille ne comptait pas tant que cela pour lui.

Elle était juste la fille en travers de sa route.

Megan tapa du poing contre le poteau et se risqua à jeter un nouveau coup d'œil de l'autre côté. Elle colla sa joue contre le béton froid tandis qu'elle surveillait la table de son frère.

Jay était toujours là. Et Violet aussi.

Pourquoi Jay ne voyait-il pas Violet telle qu'elle était ? Un obstacle. Pourquoi ne l'écartait-il pas pour – enfin – sortir avec elle ?

Des larmes l'aveuglèrent et elle serra les paupières avec force, s'essuyant le nez du revers de la main.

Pourquoi ne pouvait-il pas l'aimer, elle ?

De toute façon, ça n'avait plus d'importance. Elle en avait fini avec ses tentatives d'intimidation. Ça n'avait pas marché. Est-ce qu'elle s'attendait vraiment que Violet ait peur au point de… de quoi ? De quitter Jay ? D'arrêter le lycée ? Ou, encore mieux, de déménager ? Juste à cause d'un mot et de coups de téléphone débiles ?

Et d'un chat mort dans une boîte ?

Dans un premier temps, cela avait semblé fonctionner – l'absence de Violet en cours, sa séparation d'avec Jay – mais ils étaient désormais plus soudés que jamais.

C'était encore un de ses fantasmes puérils. Des rêves d'écervelée.

Elle avait dû cesser. Violet la soupçonnait. Violet avait prononcé son nom, l'autre soir, au téléphone.

Évidemment, elle n'avait aucune preuve contre Megan. Ce n'était que des suppositions. Mais c'était trop risqué.

Megan n'appellerait plus. Il n'y aurait plus de « messages ».

Défroissant le laissez-passer, elle le relut une dernière fois avant de le jeter dans une poubelle et de retourner en cours.

À qui croyait-elle faire gober ça ?

Elle n'irait jamais chez le psychologue scolaire. Elle n'admettrait jamais que son père était un alcoolique. Qu'elle se sentait seule, et qu'elle avait peur, et qu'elle était en colère.

Elle allait seulement se flétrir… et disparaître.

CHAPITRE 25

De retour du lycée, Violet feuilleta l'un des dossiers que Rafe lui avait remis le jour où elle s'était rendue aux bureaux du FBI. Celui de Serena Russo.

Violet avait pris sa décision après avoir vu Mike au déjeuner. Étant donné toutes les horreurs dont elle avait accusé Megan, elle devait essayer de se racheter auprès d'eux.

Elle possédait une faculté. Un don. Pourquoi ne pas s'en servir, comme le lui avait fait remarquer Sara ? Pourquoi ne pas tenter d'aider quelqu'un ?

En l'occurrence, quelqu'un envers qui Violet se sentait redevable.

Elle se dépêcha de composer le numéro avant de se dégonfler.

— Si je te donne une adresse, tu peux m'y retrouver ? dit-elle après un moment.

Violet sourit en entendant la réponse de son interlocuteur, puis répéta l'adresse de l'ex-mari de Serena Russo, lequel habitait à moins d'une heure de trajet de chez elle.

Ce soir-là, elle allait essayer de faire avancer les choses.

Elle avait espéré arriver avant la nuit, mais compte tenu de la circulation sur la route, son temps de trajet avait presque été multiplié par deux et le crépuscule tapissait déjà le ciel.

Elle se sentait nauséeuse, et elle devait se répéter que rien ne l'obligeait à être là, qu'elle pouvait encore rebrousser chemin.

Pourtant, elle avait pris sa décision. Elle le devait à la famille de Mike et elle se le devait à elle-même. Il fallait qu'elle sache si elle pouvait à nouveau mettre son don à profit. Et puis elle n'y allait pas seule, se rassura-t-elle.

Elle quitta la route principale, conformément aux indications qu'elle avait imprimées. Elle n'avait pas prévu que ces dernières la conduiraient aussi loin de la ville, que l'endroit serait aussi... *isolé*.

Elle ralentit pour examiner les boîtes aux lettres le long de la route, en quête de l'adresse qu'elle cherchait. Lorsqu'elle finit par tomber dessus, son pouls passa à la vitesse supérieure. Elle inspira à fond et se rangea le long du trottoir, sa voiture brinquebalée par les irrégularités de la chaussée. Elle expira bruyamment.

Il n'y avait pas d'autres véhicules en vue, ce qui signifiait sûrement qu'elle était arrivée la première au rendez-vous. Elle songea à patienter, puis se ravisa ; elle ne savait pas combien de temps il faudrait encore à la personne qu'elle retrouvait pour arriver.

Elle descendit de voiture. Elle avait choisi de se garer dans la rue. Avec un peu de chance, elle percevrait une empreinte de loin et Roger Hartman n'apprendrait jamais qu'elle avait mis les pieds chez lui.

Se garer dans son allée l'aurait trahie d'emblée.

Elle priait pour que son empreinte – s'il en possédait une – soit une sensation qu'elle pourrait détecter à distance, et pas une sensation qui lui demande de s'approcher de lui, comme c'était le cas pour la mère de Jay. Violet percevait l'odeur de feu de bois uniquement si Ann Heaton se tenait à côté d'elle ou si elle la touchait.

Elle n'avait aucune envie de toucher Roger Hartman pour savoir s'il avait assassiné Serena Russo.

Elle mit ses clés dans sa poche et emprunta l'allée arborée.

Elle longea la rangée d'arbres de près, comptant sur leur feuillage pour la camoufler tandis que le crépuscule basculait vers la nuit. La lumière de la lune ne filtrait pas à travers les branches au-dessus d'elle et il n'y avait aucun réverbère pour éclairer ses pas.

Elle chemina dans la pénombre oppressante, trébuchant à plusieurs reprises sur des pierres. Elle se déplaçait lentement, prudemment, à l'affût du moindre signe qui aurait indiqué qu'elle n'était pas seule. Mais elle n'entendait que le bruit de ses pas et la forêt qui l'entourait.

Devant elle, une faible lueur marquait la fin de son voyage, un petit mobile home posé au beau milieu d'un terrain envahi par les arbres et les ronces. La lumière pâle qui brillait à l'intérieur lui confirma que la caravane était habitée.

Violet s'arrêta, son cerveau tournant à plein régime, essayant de décider de la conduite à suivre. Ce n'était pas le scénario idéal, supposait-elle, envisageant seulement maintenant les implications de sa présence sur la propriété de cet homme, toute seule à la nuit tombée.

Au mieux, il ne portait aucune empreinte et ce n'était pas un assassin. Au pire, c'en était un. Et Violet avait très probablement commis une erreur fatale en venant ici.

Son pouls palpitait dans sa gorge, la gênant pour avaler sa salive. Elle attendit de voir s'il se passait quelque chose.

Il n'y avait aucun signe de vie à l'intérieur du mobile home. Aucun bruit. Rien. Rien que la lumière, solitaire.

Il n'y avait pas de voiture dans l'allée, et Violet commença à se demander si Roger Hartman n'était pas absent.

Elle espéra que c'était le cas.

Elle écouta la nuit, particulièrement attentive aux bruits qui auraient pu venir du mobile home.

Et puis elle l'entendit. D'abord à peine. Un crépitement ténu.

Des gouttes de pluie.

Elle leva la tête, paume tournée vers le ciel. Mais elle était certaine qu'il ne pleuvait pas.

C'était un écho. Et il l'appelait.

Sondant l'obscurité intimidante, elle se demanda ce qu'elle devait faire. Elle serra le col de son manteau à deux mains comme s'il pouvait le protéger de ce bruit, de la nuit, du danger.

À la façon dont l'écho l'appelait, elle savait qu'il appartenait à un cadavre et qu'elle n'avait rien à craindre. D'autant que cet écho n'était pas comme les autres.

Et soudain elle comprit en quoi.

Ce cadavre avait été enterré. Ce cadavre reposait en paix. Comme ceux qui se trouvaient dans son cimetière, ou dans le cimetière qu'elle avait visité alors qu'elle traquait un tueur en série. Violet en percevait l'écho, mais il n'exigeait pas qu'elle le trouve.

Elle se remit à avancer dans sa direction, quittant le couvert des arbres.

Le crépitement des gouttes ne venait pas d'en haut, comme ça aurait été le cas s'il avait plu, mais de devant elle. C'était le bruit produit par une multitude de grosses gouttes de pluie qui tambourinaient sur de larges feuilles mortes. Violet devait se rappeler que c'était une illusion, une averse imaginaire qu'elle seule percevait, tandis qu'elle baissait la tête, se protégeant instinctivement du déluge.

Elle jeta un coup d'œil inquiet en direction du mobile home, craignant que la porte ne s'ouvre à la volée et que Roger Hartman ne surgisse à l'improviste.

Mais la porte d'entrée resta fermée, la caravane silencieuse.

Elle sut qu'elle approchait, car le bruit enfla et devint de plus en plus régulier. Un froid humide s'insinua en elle et la glaça jusqu'aux os, lui donnant des douleurs dans les articulations.

Ce genre d'écho, qui n'avait rien de visuel, était plus difficile à localiser que les autres. À mesure qu'elle avançait, Violet devait jauger l'intensité acoustique, évaluer la baisse de température qui la faisait frissonner.

Elle décrivit un cercle autour d'une zone située à l'arrière du mobile home, au pied d'un pin noueux. Le vieil arbre montait la garde dans l'obscurité, veillant sur le cadavre qui, selon les estimations de Violet, gisait sous ses branches épineuses.

Elle jeta un nouveau coup d'œil vers la lumière qui filtrait à travers les vitres de la structure délabrée avant de tomber à genoux. Le bruit de la pluie résonnait autour d'elle et la fraîcheur de l'averse la refroidissait de l'intérieur.

Elle se trouvait au bon endroit.

Effleurant la terre sombre du plat de la main, Violet essaya de déterminer où creuser. Une part d'elle lui soufflait d'arrêter, d'appeler Sara Priest pour lui laisser prendre le relais. Mais elle savait qu'elle ne le ferait pas. Elle ignorait même ce qu'elle avait trouvé. Il pouvait s'agir seulement d'un écureuil ou d'un mulot.

Elle voulait pousser ses recherches plus loin, s'assurer de ce qu'elle avançait avant de demander des renforts.

À l'instant où elle enfonça ses doigts dans la terre, beaucoup plus meuble qu'ailleurs, Violet eut la confirmation qu'elle avait localisé la tombe qu'elle cherchait.

Elle recueillit de la terre entre ses mains, grelottant toujours à cause de l'écho qui pleuvait autour d'elle. Elle repéra le bord de la fosse au toucher, puis l'explora à quatre pattes dans les ténèbres. Quand elle se rendit compte de sa taille, elle fut prise de tremblements.

Il y avait assez de place pour un corps. Un corps *humain*.

Au mépris du bon sens, elle replongea les mains dans la terre. «Arrête!» se répéta-t-elle plus d'une fois, mais elle persista. Et pendant ce temps, la pluie lancinante continuait de s'abattre sur la nuit. La fraîcheur qu'elle faisait naître avait une dimension bien réelle pour Violet.

Quand sa main effleura quelque chose de lisse, quelque chose qui crissait sous ses doigts, Violet s'immobilisa. Ce qu'elle venait de toucher était artificiel, fabriqué par l'homme.

Elle appuya à nouveau dessus, écoutant le bruit synthétique tandis que son index rencontrait une surface ferme à la texture monstrueusement familière.

C'était un cadavre.

Enveloppé dans une bâche en plastique.

Elle bondit maladroitement sur ses pieds et inspira brusquement, portant ses mains à sa poitrine.

Quand elle sentit des doigts se refermer sur ses épaules, quelqu'un l'agripper par-derrière, elle suffoqua. Son cœur battait violemment. Comment avait-elle pu être si stupide? Pourquoi est-ce qu'elle n'avait pas patienté?

Puis une voix la fit taire doucement, lui tirant un gémissement.

— Chuuuut…

Un souffle réchauffa sa joue.

— Tout va bien, c'est moi.

Rafe!

Elle fit volte-face et lui sauta au cou tandis que le soulagement et la gratitude se mêlaient dans un tourbillon d'émotions.

— Mon Dieu, c'est toi ! Je suis tellement contente que tu sois venu.

Elle s'agrippa à lui. Elle n'était plus seule ; elle était en sécurité.

Ses doigts frôlèrent la surface de peau nue à la base de son cou, juste sous ses cheveux, et une décharge d'électricité statique, identique à celle qu'elle avait reçue quand ils s'étaient touchés au café, les parcourut tous les deux. Rafe se raidit et Violet prit soudain conscience de la proximité de son corps, de sa chaleur, de ses muscles fuselés et de son odeur.

Elle écarta les bras.

— Désolée, dit-elle, les yeux ronds.

Elle aurait donné n'importe quoi pour effacer cet instant. La pluie continuait de crépiter autour d'elle, et elle jeta un regard vers la tombe.

J'ai trouvé quelque chose… *quelqu'un*. Juste là, indiqua-t-elle en montrant l'endroit du doigt. Je ne sais pas qui c'est, mais c'est clairement un cadavre.

— Il faut filer d'ici, s'écria Rafe en l'attrapant par la manche de son manteau. On doit avertir Sara.

Violet se laissa entraîner. Ils repassèrent devant le mobile home et remontèrent l'allée. Et tandis qu'elle s'éloignait de l'hallucination sensorielle, la terreur continuait de la glacer, refusant de la libérer. Elle était terrifiée à l'idée que la personne qui avait laissé la lumière allumée revienne, les surprenne, elle pleine de terre. Elle avait peur qu'ils ne finissent enterrés à leur tour… roulés dans une bâche.

Arrivée au bout de l'allée, Violet s'essuya les mains sur son jean et chercha ses clés au fond de sa poche. Elle tremblait.

— Tu te sens capable de conduire ? demanda Rafe d'une voix beaucoup trop calme au vu des circonstances.

Violet aperçut le gros SUV noir de Sara garé derrière sa

voiture et en déduisit que Rafe l'avait emprunté à sa propriétaire pour venir la retrouver. Elle hocha la tête.

— Je vais bien.

Elle mentait. Même si elle était certaine de pouvoir conduire, elle n'allait pas bien.

— J'ai vu une station-service à l'angle de la rue. Suis-moi. On va s'arrêter là-bas pour appeler Sara.

Violet inspira avec un hoquet et démarra le moteur, attendant que Rafe passe devant elle. Elle s'efforça de reprendre le contrôle de ses nerfs.

Là-bas, dans le noir, enterré sous un vieux pin, reposait un corps enveloppé dans une bâche. Et pour une raison mystérieuse, il semblait en paix.

Violet suivit Rafe sur le parking de la station-service, un endroit bondé avec beaucoup de lumière. Elle ne savait pas si son cœur se remettrait un jour à battre normalement.

Au lieu de se garer sur un emplacement, Rafe se rangea sur le côté de l'aire de parking et Violet s'arrêta derrière lui.

Il toqua à la portière côté passager et elle se pencha pour lui ouvrir.

— Tu es sûre que ça va ? demanda-t-il en montant. Tu es dans un sale état.

Violet regarda ses mains, la terre incrustée sous ses ongles, puis son manteau sali. Ses doigts tremblaient encore, mais elle ne fit aucun cas de son inquiétude.

Il sortit son portable et composa le numéro.

Violet apprécia de ne pas avoir à parler. La conversation ne dura pas longtemps, et encore une fois, elle eut l'impression que Sara et lui avaient besoin de peu de mots pour se comprendre.

— Elle a trouvé un corps chez Hartman ; derrière, sous un arbre. (Il s'interrompit.) Tu verras, elle était en train de creuser quand je suis arrivé. (Une nouvelle pause, puis Rafe jeta un coup d'œil à Violet, comme pour en avoir confirmation.) Ouais, elle va bien.

Après quelques secondes, il raccrocha. Pas d'au revoir, rien d'autre de sa part. Puis il regarda Violet, pour de vrai cette fois-ci.

— Je suis sérieux. Tu vas arriver à conduire ? Ça fait de la route.

Elle prit une inspiration tremblante, mais elle hocha quand même la tête.

— Je veux seulement rentrer chez moi et prendre une douche.

Rafe l'examina un long moment, puis sembla satisfait. Mais avant qu'il parte, Violet l'arrêta.

— Je suis vraiment heureuse que tu sois venu, Rafe. Merci.

Il lui sourit avec son air rusé et se glissa hors de la voiture. Comme avec Sara au téléphone, il ne répondit rien. Ça ne devait pas être un grand bavard, supposa-t-elle.

Une fois seule, elle eut le temps de réfléchir. Elle se demandait avec appréhension ce que – ou plutôt *qui* – Sara allait trouver quand elle arriverait sur place. Elle avait peur qu'il ne s'agisse de la mère de Mike, Serena Russo. Et que sa famille ne découvre, à cause d'elle, qu'elle ne s'était pas enfuie mais qu'elle était morte, enterrée au pied d'un vieux pin.

Mais une autre partie d'elle se sentait fière. Fière de ce qu'elle venait d'accomplir, et ce pour la première fois depuis longtemps. Une partie d'elle qui avait l'impression d'avoir peut-être pu se rendre utile.

Il fallait qu'elle rentre. Il fallait qu'elle attende que Sara la rappelle pour savoir si ses soupçons étaient fondés.

Et il fallait qu'elle regarde les choses en face. Peut-être que Sara avait raison. Peut-être qu'elle pouvait apporter aux gens les réponses qu'ils cherchaient… même si ce n'étaient pas celles qu'ils voulaient entendre.

CHAPITRE 26

Violet se servit une tasse de café en attendant que Jay passe la prendre pour aller au lycée.

Sa mère la regarda avec une expression inquiète.

— Mal dormi? demanda-t-elle tandis qu'elle apportait un paquet de céréales.

— On peut dire ça, répondit Violet sans entrer dans les détails.

«Mal dormi» était un euphémisme. Violet était restée éveillée la moitié de la nuit, à attendre que Sara – ou Rafe – l'appelle pour la tenir au courant de ce qu'ils avaient découvert derrière chez Roger Hartman.

Heureusement, ce corps-là, pour une raison qui lui échappait, semblait reposer en paix, et elle n'était pas rongée par le mal-être tenace qu'elle éprouvait normalement quand elle laissait un corps derrière elle. À se demander si elle comprendrait un jour son étrange aptitude dans toute sa complexité.

Elle sortit son portable de sa poche et consulta encore une fois l'écran. Toujours pas de message.

— J'ai une bonne nouvelle, annonça sa mère. Le père de ton ami va venir aujourd'hui nous communiquer les coordonnées de tout le monde concernant votre week-end au chalet. On dirait que ce break tombe à pic, ajouta-t-elle en lui tendant les céréales.

Violet repoussa le paquet d'un geste de la main, le cœur lourd. Ses aventures de la veille lui avaient presque fait oublier qu'ils étaient censés partir le lendemain.

«C'est raté pour le week-end», pensa-t-elle amèrement. Quand les Russo apprendraient ce qu'elle avait découvert chez Roger Hartman, leur séjour à la montagne deviendrait le cadet de leurs soucis.

Pour ne rien arranger, la culpabilité commençait à lui peser. Mais tant que Sara ne lui donnait pas signe de vie, elle préférait faire comme si de rien n'était.

Elle parvint à esquisser un pâle sourire avant d'avaler le fond de son café d'un trait.

— Je crois que j'entends la voiture de Jay, mentit-elle, embrassant rapidement sa mère sur la joue et ramassant son sac à dos. À tout à l'heure.

Elle se dépêcha de sortir et resta dans l'allée pendant les quelques minutes qui lui restaient à attendre, laissant l'air hivernal remplir ses poumons. Et engourdir son esprit.

Pendant sa troisième heure de cours, Violet sentit son portable vibrer dans sa poche. Lorsqu'elle consulta l'écran, elle vit qu'elle venait de manquer un appel de Sara. Elle demanda à aller à l'infirmerie, prétextant qu'elle ne se sentait pas bien, et se glissa dans le calme du couloir.

Quand Sara décrocha après ce qui lui parut une éternité, elle en vint directement au fait :

— Je suis désolée, Violet, ce n'était pas ce que vous croyiez. Il s'agissait seulement d'un chien.

Ces simples mots suffirent à raviver l'écho glacé. Violet n'était pas certaine de comprendre.

— Comm… comment ça, un chien ?

— Je suis allée chez Hartman avec une équipe et nous avons trouvé le cadavre dans la bâche. C'était un chien, un berger allemand. Nous n'avons pas encore réussi à contacter Roger Hartman, mais j'ai tendance à croire qu'il n'est pas étranger à sa mort.

Violet avait le tournis ; elle était sans voix. Alors c'était un chien, enterré sous cet arbre ?

Pas Serena Russo...

« Oh non », gémit-elle intérieurement. Elle avait envoyé Sara, et Dieu sait combien d'autres personnes, chez Roger Hartman pour chercher un corps... un corps *humain*. L'humiliation la submergea. Toutes ses bonnes intentions s'évanouirent en un instant, tous ses espoirs volèrent en éclats.

Elle prit une profonde inspiration.

— Pourquoi est-ce que vous pensez qu'il y est pour quelque chose ?

— Ce chien n'est pas mort de mort naturelle, répondit Sara sans hésiter. Il a eu la nuque brisée.

Adossée au mur, Violet se pencha en avant, une main sur le genou, l'autre plaquant son téléphone contre son oreille.

Elle avait besoin de reprendre son souffle, de recouvrer ses esprits.

Dans sa tête, elle revoyait le chaton noir couché dans la boîte près de sa voiture, son minuscule cou tordu. Elle s'entendit dire au revoir à Sara, d'un ton détaché, comme si sa voix appartenait à une autre.

Puis elle resta là, dans le couloir silencieux, jusqu'à ce que la sensation de vertige se dissipe, jusqu'à ce qu'elle se sente assez solide sur ses jambes pour marcher.

Violet croyait comprendre pourquoi le cadavre qu'elle avait découvert ne l'avait pas appelée avec insistance. Quelqu'un – Roger Hartman, peut-être – l'avait enterré.

Quelqu'un lui avait permis de trouver le repos.

Malgré l'embarras qu'elle éprouvait d'avoir fait déplacer Sara et son équipe pour rien, elle réalisa que cette découverte était aussi une bonne nouvelle.

La mère de Mike et de Megan était peut-être encore en vie.

Peut-être qu'elle était vraiment partie. Ce serait mieux, ils pourraient encore espérer être réunis un jour.

Violet rangea son portable et retourna en cours. Elle était censée être à l'infirmerie ; pas en train de passer des coups de téléphone.

Peut-être que sa mère avait raison. Peut-être qu'elle avait vraiment besoin d'une coupure, après tout.

CHAPITRE 27

Le lendemain matin arriva vite et, comme d'habitude, Chelsea ne s'était pas trompée. Violet accompagnait bel et bien ses amis au chalet.

Elle avait beau continuer à douter, à ruminer sa décision, les dés étaient jetés et Jay n'allait pas tarder à venir la chercher avec Chelsea, Mike et Claire.

July avait déclaré forfait pour cette fois, décrétant qu'elle préférait sauter dans une piscine infestée de requins plutôt que de s'imposer un week-end à regarder Chelsea se pâmer devant Mike. Et puis July n'aimait pas vraiment la montagne… sauf à dévaler les pistes à Mach 3 avec une planche aux pieds. Les bonshommes de neige et le chocolat chaud n'étaient pas son truc.

Contrairement à Claire, qui formait déjà les équipes pour la grande bataille de boules de neige qu'elle avait prévue.

Le père de Mike, Ed Russo, était passé se présenter la veille pendant que Violet était en cours et avait donné toutes les informations nécessaires à sa mère, y compris le numéro de téléphone de l'épicerie qui se trouvait à quelques kilomètres du chalet, puisqu'il n'y avait ni téléphone fixe ni réseau au chalet.

Le numéro correspondait à une cabine téléphonique, mais Ed Russo avait expliqué que les propriétaires prenaient les messages et les punaisaient sur un panneau en liège ; il avait promis à sa mère qu'il passerait régulièrement à la supérette, au cas où.

Ses parents n'y trouvèrent rien à redire, ce n'était qu'une nuit, après tout – ce que Violet ne cessait de se répéter en boucle.

Elle était assez grande pour prendre soin d'elle pendant une nuit.

— Alors, par quoi vous voulez commencer ? demanda Claire tout excitée.

— Bon sang, Claire ! Et si tu nous reposais la question dans cinq minutes ? On n'a pas eu le temps d'y réfléchir depuis la dernière fois que tu as demandé.

L'humeur de Chelsea s'était rapidement dégradée depuis qu'ils roulaient sur la route de montagne, et elle perdait patience avec tout le monde – y compris avec Claire, qui était généralement à l'abri de ses sautes d'humeur.

Au lieu de s'excuser, Chelsea ferma les yeux et inspira à fond, basculant sa tête contre le siège.

— Tu veux que je m'arrête encore ? demanda Jay en lui jetant des coups d'œil inquiets dans le rétroviseur.

Il interrogea Violet du regard ; celle-ci savait exactement à quoi il pensait.

Il ne voulait pas que Chelsea vomisse… dans sa voiture.

Chelsea poussa un soupir agacé.

— Pour quoi faire, Jay ? Pour que je me les gèle en répétant que je vais crever ? Non, merci. Roule. Plus vite on arrivera là-bas, plus vite mon enfer sera terminé.

Violet se disait que Chelsea se sentirait mieux à l'avant, mais elle ne lui proposa pas son siège. Elle avait déjà essayé au moment où ils s'étaient arrêtés pour que Chelsea prenne l'air, et celle-ci lui avait répliqué qu'elle allait bien, qu'elle n'avait pas besoin de changer de place. Violet était convaincue qu'elle avait refusé pour rester à côté de Mike.

Violet tenta d'abord d'ignorer la sensation ténue qui l'envahissait, l'étrange frémissement qui prenait sa source au fond d'elle et se répandait par vaguelettes saccadées vers l'extérieur. Mais la voiture filait à une allure régulière malgré la neige de plus en plus épaisse, et le frémissement ne tarda pas à se transformer en vibration, avant de devenir une impression plus tangible.

Une vague d'air chaud s'abattit sur Violet, apportant avec elle le suave arôme estival des glaces, de la crème solaire et l'odeur âcre du chlore. La température monta en flèche.

— Tu peux baisser le chauffage ? murmura-t-elle à Jay tandis qu'elle ôtait son bonnet et tirait sur son écharpe.

Au même moment, elle entendit le hoquet horrifié de Claire.

Un cerf désarticulé gisait sur le bas-côté, la tête plantée dans un tas de neige sale maculé de sang. Il avait la bouche ouverte, la langue gelée contre sa mâchoire broyée.

Jay pressa légèrement le genou de Violet, et soudain elle comprit. Elle percevait l'écho du cerf.

C'était un jeu auquel Jay et elle jouaient enfants. Au lieu de deviner le nom des États sur des plaques d'immatriculation ou de reconstituer l'alphabet à partir de panneaux de signalisation, Violet repérait les cadavres d'animaux sur le bord de la route.

Elle les détectait jusqu'à plusieurs centaines de mètres à l'avance, et elle décrivait leur écho de la façon la plus détaillée possible à Jay, tandis que celui-ci essayait d'apercevoir le cadavre.

Ils appelaient ça « Massacre au kilomètre ».

C'était morbide, évidemment, mais ce n'étaient que des enfants... avec une fascination malsaine pour la mort.

— On y est presque, annonça Mike. On arrive au magasin où l'on peut acheter de quoi grignoter et tout ce dont on a besoin. Dernier arrêt avant la fin de la civilisation. Si vous devez passer un coup de fil, c'est maintenant, ajouta-t-il.

Violet sortit son portable de son sac et regarda si elle avait du réseau. Mike avait raison ; elle ne captait pas.

— Dieu merci ! Violet, tu peux m'acheter des biscuits ? Et un soda ? Je me sens hyper mal.

Violet se retourna vers Chelsea, qui avait toujours la tête renversée et les yeux fermés. Jay intervint :

— Tu es sûre que tu ne veux pas sortir pour te dégourdir un peu les jambes ?

— Relax, Capitaine l'Angoisse, je ne vais pas pourrir ton cuir adoré, grogna-t-elle. Si ça peut te rassurer, laisse-moi un sac en plastique.

Mike lui murmura quelques mots à l'oreille, le visage plissé par l'inquiétude. Chelsea répondit par une grimace et détourna la tête.

« Elle ne doit vraiment pas être bien, pensa Violet, pour envoyer balader Mike comme ça. »

De l'extérieur, le magasin avait un charme rustique ; les murs en rondins lui donnaient l'aspect d'une épicerie de campagne désuète. L'intérieur était un vrai capharnaüm et il y faisait aussi froid que dehors. Violet s'occupa de la commande de Chelsea, tandis que les autres faisaient le plein de chips, de bœuf séché, de sodas et de snacks en tout genre.

En apercevant le téléphone coincé entre le distributeur de glace et une étagère ployant sous des jerrycans d'essence et des bouteilles de propane, Violet songea à appeler ses parents pour leur confirmer qu'elle était bien arrivée.

Puis elle se ravisa. Ils ne s'attendaient pas qu'elle téléphone à moins d'un problème, et à quoi bon essayer de leur prouver qu'elle pouvait être plus indépendante et éviter les ennuis si c'était pour leur donner des « nouvelles » à la première occasion ?

Elle se dirigea vers la caisse sans même jeter un coup d'œil au panneau de liège constellé de post-it et de bouts de papier colorés au-dessus de l'appareil.

Elle ne vit donc pas le message qui lui était adressé.

Jay préféra se garer au bord de la route plutôt que de se risquer dans le raidillon qui menait au chalet. Il craignait d'être bloqué par l'épaisse couche de neige, même si le père de Mike, à en juger par les traces de pneus fraîches que son pick-up avait laissées sur le chemin, n'avait pas eu de difficultés pour arriver et repartir. Mais Violet était d'accord avec Jay ; autant ne pas prendre le risque.

Les biscuits et le soda avaient visiblement réglé les problèmes d'estomac de Chelsea, qui était redevenue elle-même. Violet l'entendit même présenter ses excuses à Mike pour sa « mauvaise humeur », une expression inédite dans sa bouche.

La résidence secondaire des Russo s'apparentait plus à une hutte sommaire qu'à un chalet pittoresque. Il y flottait une odeur de renfermé et la cuisine était minuscule. Seule la cheminée surdimensionnée, où un feu brûlait déjà à leur arrivée, emplissant l'intérieur d'une chaleur qui les accueillit avant même qu'ils eussent franchi le seuil, trouva grâce aux yeux de Violet.

— Waouh, souffla Jay, admiratif, et Violet comprit aussitôt que le style *rustique* était son truc. C'est mortel. Depuis combien de temps vous avez cet endroit ?

Mike haussa les épaules et laissa tomber son sac de couchage élimé par terre. Violet aurait juré qu'il avait soulevé un nuage de poussière en touchant le sol.

— Je crois qu'il appartenait à mes grands-parents. À leur mort, mes parents en ont hérité.

— Au fait, où est ta mère ? Tu n'en parles jamais. Est-ce qu'elle vient aussi ? demanda Claire tandis qu'elle époussetait une chaise pour y poser sa valise luxueuse.

Chelsea la fusilla du regard.

— Leur mère ne vit plus avec eux. Et il n'aime pas en parler.

— Ça va, intervint Mike. Elle a mis les voiles il y a un certain temps et on est sans nouvelles d'elle depuis. Megan ? appela-t-il, la tête tournée vers le petit couloir.

Une porte s'entrouvrit. La voix fluette de l'autre côté du panneau semblait irritée.

— Quoi ?

— Je voulais juste te prévenir qu'on était là. Est-ce que papa a dit à quelle heure il revenait ?

Après plusieurs longues secondes, Violet regarda en direction de la porte pour voir si elle s'était refermée, pensant que sa sœur avait peut-être décidé d'ignorer la question. À cet instant, toujours sur le même ton agacé, elle lui répondit enfin :

— Parce que ça lui arrive ?

CHAPITRE 28

Quelqu'un percuta Violet par-derrière et elle décolla du sol.

L'impact lui coupa la respiration, et elle reconnut immédiatement Jay à son rire rauque et à la tiédeur de son souffle au creux de son oreille. Une congère amortit leur chute, et elle l'entendit s'étrangler quand il heurta son épaule. Elle se retourna pour lui jeter un coup d'œil.

— Ça va ? dit-elle en le voyant sourire de toutes ses dents.

Elle se demandait si elle se lasserait un jour de cet air idiot et sûr de lui. Elle espérait bien que non.

— Viens là et tu vas voir.

Il lui fit signe d'approcher et chassa d'une pichenette un flocon de neige pris dans ses cils.

Le temps qu'ils finissent de décharger toutes leurs affaires et qu'ils décident de sortir, il s'était mis à neiger. Mike avait invité sa sœur à se joindre à eux, mais elle avait fait la sourde oreille. Alors tous les cinq s'étaient emmitouflés avant de partir explorer les alentours.

Malgré les réserves de Violet sur le chalet, le cadre était spectaculaire. L'endroit était isolé, en altitude, et les arbres en toile de fond, drapés de neige scintillante, offraient un spectacle époustouflant.

Cela faisait plus d'une heure qu'ils déambulaient dans les bois et personne ne songeait à se plaindre du froid. Claire avait tenté de former des équipes pour sa bataille de boules de neige, les filles contre les garçons, mais ce fut bientôt chacun pour soi, et Jay défendit Violet des attaques de Chelsea, qui protégeait Mike de Jay. Claire choisit de rester neutre et s'efforça d'inventer des règles pour éviter un conflit généralisé.

Violet et Jay apprécièrent leur moment de solitude. Quand les lèvres de Jay touchèrent celles de Violet, ce fut comme s'il venait de gratter une allumette.

Violet ferma les yeux et se perdit dans la chaleur qui irradiait du creux de son ventre tandis que la bouche de Jay se posait sur la sienne. Elle se pressa contre lui malgré les épaisses couches de vêtements qui les séparaient.

Une boule de neige explosa au-dessus d'eux, rompant le charme. Une pluie de débris glacés leur tomba dessus.

Jay nicha le visage de Violet entre ses bras et regarda qui avait enfreint le cessez-le-feu temporaire.

— Je reviens, chuchota-t-il.

Il ramassa une poignée de neige, la tassa vigoureusement entre ses gants, puis se leva et s'éloigna en hâte, la laissant seule sous le couvert des arbres.

Violet entendit Chelsea et Claire se chamailler non loin de là au sujet du bonhomme de neige qu'elles étaient en train de faire.

Elle resta étendue sur le dos, les yeux levés vers les branches tapissées de blanc qui s'entrecroisaient au-dessus de sa tête, faisant barrage aux flocons et diffusant le peu de lumière qui essayait de percer le ciel gris. La nuit ne tomberait pas avant un moment, et pourtant l'obscurité s'installait déjà à mesure que les nuages s'épaississaient, menaçant de masquer ce qu'il restait de lumière pour la journée.

Violet cilla tandis que de fragiles flocons lui picotaient les joues et elle inspira l'air froid et sec à pleins poumons. Jay et Mike se lançaient des boules de neige, leurs rires tonitruants troublant le calme environnant.

Elle s'efforça d'ignorer l'appel qui l'attirait dans la direction opposée. Mais c'était viscéral. Il se glissa sous sa peau jusqu'à la démanger, jusqu'à ce qu'elle ne puisse plus faire abstraction de son leurre énigmatique.

Le chant des morts.

Elle se redressa lentement sur ses coudes, ne sachant quoi décider – comme si elle avait un jour eu le choix –, et frotta la neige qu'elle avait dans le dos en se relevant. Elle jeta un coup d'œil autour d'elle pour s'assurer que personne ne l'observait. Elle ne voulait pas qu'on la voie en train de se faufiler entre les arbres à la recherche d'un cadavre qui voulait – non : qui *avait besoin* – qu'on le trouve.

Elle sentit le froid poindre à la base de son cou et frissonna, rentrant le menton pour tenter de se réchauffer.

Il faisait plus sombre dans le bois, loin des clairières où elle avait joué avec ses amis, et elle craignit brièvement de se perdre.

Ce n'était pas sa forêt ; ce n'était pas son territoire. Si elle s'égarait, si personne ne savait où la chercher, elle pourrait errer pendant des heures et des heures sans croiser de repères pour retrouver son chemin.

Mais il y avait la neige.

Et tant que les branches retenaient les flocons qui dégringolaient du ciel, ses traces de pas la guideraient.

De grosses congères entravaient sa progression, aspirant ses bottes et lui brûlant les jambes. L'effort lui donna bientôt mal à la tête.

Elle avait la peau sèche et ses yeux la brûlaient à cause de l'air glacé, qui semblait encore plus froid ici, plus dense, plus difficile à respirer. Elle avait un mal fou à avancer, et à chaque pas la douleur devenait plus intense. Mais sous son crâne, elle sentait les frémissements de l'écho la tirer vers l'avant.

Elle plissa les paupières pour faire barrière aux lames imaginaires qui lui lacéraient le cuir chevelu, le front, les yeux.

Soudain elle comprit. Cette douleur insoutenable qui l'aveuglait presque, qui la ravageait tout en la forçant à avancer, c'était l'écho. Et elle était incapable de renoncer à le suivre.

Pour Violet, c'était la définition même de la folie. Mais elle ne pouvait plus rien y faire. Ce cadavre avait besoin d'elle.

Et elle le trouverait.

Elle fit abstraction de la température polaire, le corps anesthésié par la douleur dans sa tête. Elle ne savait même pas si elle saurait encore quand elle aurait vraiment froid, ce qui pouvait au mieux se révéler dangereux, au pire, mortel.

Puis elle sut avec une certitude fulgurante qu'elle avait trouvé la source de l'écho. Le corps qu'elle cherchait. Il était enterré à l'endroit même où elle se tenait. Elle fut submergée par un soulagement indicible. C'était comme si l'étreinte qui la torturait se relâchait subitement. Elle pouvait de nouveau respirer.

Elle se laissa tomber à genoux et soupira, jouissant de la sensation de vertige qui la parcourait.

Sans perdre de temps, elle plongea les mains dans la neige fraîche, creusant rapidement et formant un tas à côté d'elle.

Elle procédait avec diligence, efficacité, et l'effort la réchauffait, la distrayait de la migraine sourde qui continuait à bourdonner à l'arrière de son crâne, embrumant ses pensées et les empêchant de remonter complètement à la surface.

Elle avait l'impression d'être shootée. Droguée par l'écho lui-même.

La sensation lénifiante, déroutante, la gardait concentrée sur sa tâche.

Pourtant, au bout d'un moment, Violet comprit que tous ses efforts étaient vains. Le sol était gelé. Il n'existait aucun moyen d'atteindre ce qui reposait dessous.

C'est ainsi que Jay la trouva, agenouillée dans la neige à se demander quelle décision prendre malgré la confusion qui régnait dans son esprit. À se demander comment résoudre ce casse-tête.

— Bon sang, Violet! Tu n'as pas entendu qu'on t'appelait? Tu m'as fichu la trouille.

Jay lui tendit la main.

Violet la fixa, interdite.

« Qu'est-ce qu'il attend que je fasse? » se demanda-t-elle comme dans un rêve.

— Tu veux te lever? proposa-t-il en se penchant vers elle.

Il attrapa ses deux mains dans la sienne et l'aida à se mettre debout.

Le sifflement s'intensifia dans son crâne.

Jay observa le visage ahuri de Violet, puis le tas de neige sur le sol.

— Tu as senti quelque chose? murmura-t-il, les sourcils froncés.

Violet acquiesça. Au moins, ça, elle le savait.

— On ne peut pas rester là, Vi. Les autres vont arriver et poser des questions. Tout le monde te cherche, et tu n'es pas difficile à trouver une fois qu'on a repéré ta trace. Ils sont juste derrière. Viens.

Il passa le bras autour de ses épaules, l'attirant contre lui en un geste protecteur, et dispersa le tas de neige à coups de pied.

Elle se laissa guider malgré la douleur qui grandissait tandis qu'elle s'arrachait de l'endroit où le corps était enterré.

Il ne voulait pas qu'elle parte.

Aucun ne voulait qu'elle parte.

Elle éprouvait une sensation de manque, comme une toxicomane privée de sa drogue, qui s'intensifiait à mesure qu'elle s'éloignait.

Mais si son mal de tête s'amplifiait, ses pensées, au moins, s'éclaircissaient, et elle comprit que Jay avait raison. La douleur n'était rien comparée à l'interrogatoire auquel la soumettraient ses amis.

Claire les rejoignit la première, suivie de près par Chelsea et Mike, qui marchaient à leur rythme, sans se presser, main dans la main. Manifestement, tout le monde ne s'était pas inquiété de son absence.

— Oh, super, tu l'as trouvée ! s'exclama Claire quand elle arriva au niveau de Violet et de Jay, prenant soin de marcher dans les traces existantes. Où tu étais passée ? demanda-t-elle

Violet, la tête posée sur l'épaule de Jay, tentait désespérément de faire barrage aux assauts palpitants de l'écho qui la rappelait à lui. Les vibrations continuaient de l'attirer dans l'autre sens et elle s'agrippait à Jay pour y résister.

— Elle s'est perdue en allant faire un tour, expliqua Jay.

Claire fronça le nez et regarda Violet.

— Pourquoi tu n'as pas suivi tes traces ?

Violet entendit la question de Claire, et elle perçut vaguement la voix de Jay tonner contre sa tempe, sans distinguer ses paroles.

De la sueur lui picota la lèvre supérieure et elle frissonna des pieds à la tête.

Des ombres apparurent à la périphérie de son champ de vision, puis celui-ci se rétrécit progressivement, jusqu'à ce qu'elle se sente aspirée dans un trou noir. La chute lui parut interminable. Elle s'immobilisa enfin et atterrit sur quelque chose de ferme… et de chaud…

CHAPITRE 29

Violet reprit conscience dans le chalet. Quatre visages la fixaient avec inquiétude et un cinquième avec une relative indifférence.

Apparemment, les « mésaventures » de Violet avaient réussi à faire sortir Megan de sa chambre.

— Regardez qui est de retour parmi nous, dit Chelsea en s'affalant sur l'accoudoir du canapé élimé où Violet était allongée.

— Comment tu te sens ? s'enquit Jay, s'agenouillant devant elle pour la regarder dans les yeux.

Violet passa prudemment ses doigts sur sa nuque et se risqua à appuyer sur ses tempes. Elle n'avait plus mal. Seule persistait l'envie diffuse de retourner dans les bois.

— Ça va, répondit-elle. (Et, voyant qu'il ne semblait pas la croire, elle ajouta :) Vraiment. Je me sens bien.

— Je vais te préparer un chocolat chaud, proposa Chelsea, et Violet comprit que son amie avait dû s'inquiéter pour de bon.

Elle avait l'impression d'avoir beaucoup vu cette Chelsea-là, dernièrement.

Claire accompagna Chelsea à la cuisine, où elles essayèrent en vain de faire fonctionner la cuisinière, jusqu'à ce que

Megan, qui était restée en retrait sans rien dire, aille les aider. La jeune fille se mouvait avec habileté dans le petit espace, allumant le gaz et trouvant une casserole, tant et si bien que Claire et Chelsea s'effacèrent. Megan ne parut pas s'en formaliser.

— Qu'est-ce qui s'est passé ? demanda Violet à Jay lorsque Mike rejoignit les filles à la cuisine, laissant au couple un moment d'intimité devant la cheminée.

Jay secoua la tête, l'air sombre.

— À toi de me le dire. Tu t'appuyais contre moi et d'un seul coup tu t'es évanouie. Tu m'as fichu une de ces trouilles !

— Claire t'appelait à tue-tête, ajouta Chelsea en revenant. Je n'arrive pas à croire que tu ne l'aies pas entendue. Mais je suis d'accord avec Jay – tu nous as vraiment fait peur. Tu as de la chance qu'il t'ait rattrapée avant que tu tombes.

Violet leva la tête vers lui, morte de honte.

— Tu m'as *rattrapée* ?

Jay fit signe que oui, et il n'y avait qu'à voir son expression pour savoir qu'il était très content de lui.

— Surtout ne me remercie pas, dit-il avec le plus grand sérieux.

Violet roula les yeux, se refusant à lui dire merci alors qu'il venait de se lancer des fleurs.

Megan revint avec une tasse de chocolat, Claire sur ses talons.

— Fais attention, avertit-elle doucement Violet. C'est chaud.

Leurs doigts se frôlèrent quand la tasse changea de mains, et Violet regarda la sœur de Mike dans les yeux.

— Merci.

Elle mit autant de sincérité qu'elle put dans ce simple mot, espérant que c'était un geste suffisant, ne serait-ce que vis-à-vis d'elle-même. Elle se sentait toujours coupable d'avoir soupçonné Megan, d'avoir imaginé qu'elle avait pu commettre de telles atrocités.

Megan retira sa main et baissa nerveusement les yeux.

— De rien, répondit-elle d'une voix timide et hésitante.

— Alors comme ça elle t'apporte un chocolat et tu la remercies, se plaignit Jay. Et quand je te sauve la vie, je n'ai droit à rien du tout. C'est le monde à l'envers.

Violet lui adressa un sourire satisfait par-dessus sa tasse.

— Je préfère le chocolat, le taquina-t-elle, soufflant sur la boisson fumante avant d'en avaler une gorgée. Et puis je crois que tu n'as pas besoin de moi pour te remercier.

Claire lui tendit une serviette.

— Sérieusement, Vio, qu'est-ce qui t'est arrivé?

Violet secoua la tête, essayant de remettre les événements bout à bout après que Jay était parti rejoindre Mike. Elle se souvenait de la douleur intense qu'elle avait suivie, de l'appel du cadavre et de la sensation d'être sous l'emprise d'une drogue puissante une fois parvenue au bon endroit. Puis de Jay l'entraînant loin de l'écho, et de son supplice reprenant de plus belle, du voile qui lui avait obscurci les yeux…

— Je me suis juste évanouie, je suppose, répondit-elle finalement, consciente de ce que c'était une piètre excuse. Mais ça va, maintenant, répéta-t-elle, tentant de paraître plus convaincante cette fois-ci.

Cela mit fin aux questions; tous semblèrent accepter son histoire.

Violet était encore distraite par l'écho, malgré la distance qui l'en séparait désormais. Dans l'immédiat, cependant, elle n'avait pas d'autre choix que de l'ignorer.

Quand ils décidèrent qu'il était temps de préparer à manger, Mike et Jay sortirent chercher du bois pour le feu dans un abri à l'arrière du chalet.

— Ton père dînera avec nous ? demanda Claire à Megan, qui s'efforçait de passer inaperçue.

Megan répondit en faisant non de la tête, regardant à peine Claire.

Chelsea adressa un regard interrogateur à Violet.

— Tu sais où il est ? insista-t-elle, même s'il était évident que l'adolescente se sentait mal à l'aise.

Violet identifia sans mal sa gêne. Elle ne voulait pas qu'on la remarque ; ne voulait pas faire partie du groupe. Elle rôdait, sans un mot, sans un bruit, à la périphérie, murée dans sa solitude.

« Elle a l'air tellement triste, pensa Violet. Triste et seule. » Violet se demanda si elle avait toujours été comme ça.

— Il est en ville. Il reviendra sans doute tard, murmura-t-elle.

— Qu'est-ce qu'il fabrique ? Il traîne toute la nuit dans les bars ? essaya de plaisanter Claire.

— Parfois, répondit Megan en levant les yeux, le visage grave.

C'est alors que Mike revint, brisant l'étrange silence qui s'était installé entre les filles. Jay rentra juste après lui ; tous les deux avaient les bras chargés de bûches. Une brouette avec du bois supplémentaire attendait devant la porte de derrière, et Violet et Chelsea s'empressèrent de leur venir en aide, empilant consciencieusement les bûches près du foyer.

La diversion tombait à pic après le malaise causé par la réponse crûment honnête de Megan.

Mais qu'est-ce que cela signifiait, au juste ? Que leur père buvait ? Qu'il était alcoolique ? Que les enfants devaient régulièrement se débrouiller seuls ?

Cela aurait expliqué l'aisance de Megan à la cuisine et son comportement solitaire.

La honte de Violet s'accrut.

Le menu était simple : des croque-monsieur au fromage et des chips. Ce fut Megan qui s'occupa d'allumer la cuisinière. Et Megan, encore, qui réussit à faire griller les toasts sans les brûler. La tentative de Chelsea fut moins concluante, sans parler de celle de Violet. Jay s'en sortit mieux, parvenant à un résultat à peu près comestible. Mais Megan démontra qu'elle était une vraie fée des fourneaux. En tout cas, une fée du croque-monsieur.

Jay l'aida et ce fut la seule fois où Violet la vit faire un effort pour interagir avec l'un d'entre eux. Elle lui posait des questions à voix basse tandis qu'ils s'affairaient, et souriait timidement quand elle répondait à ses taquineries.

Cela rappela à Violet la raison pour laquelle elle avait commencé à soupçonner Megan. Il était évident que Megan avait le béguin pour Jay. Et Violet s'en voulut immédiatement d'y repenser.

Elle savait que Megan n'avait rien fait.

Violet et Claire dressèrent le couvert pendant que Jay et Megan terminaient leurs préparatifs. Quant à Mike et Chelsea, ils mirent autant de zèle à « surveiller le feu » que Jay et Violet pouvaient en mettre à « réviser », et ils arrivèrent à table le regard vitreux et la tête ailleurs.

Après le dîner, Mike et Chelsea furent chargés de débarrasser. Les autres allèrent s'asseoir devant la cheminée.

Violet continuait de se sentir attirée par le cadavre qu'elle avait détecté dans les sous-bois, enfoui sous les couches de glace et de neige. Elle se demanda brièvement comment elle allait se tirer de cette situation délicate… C'était un animal qu'elle ne pouvait pas atteindre, qu'elle ne pouvait pas enterrer ailleurs. Elle ne comprenait toujours pas pourquoi l'appel était plus fort dans certains cas que dans d'autres, pourquoi certaines créatures, comme le cerf au bord de la route, la laissaient passer son chemin, alors que d'autres tenaient à ce point qu'on les trouve qu'ils continuaient à l'attirer bien après qu'elle aurait dû sortir de leur rayon d'action.

Elle espérait sans trop y croire que le besoin de trouver ce corps s'estomperait avec le temps, finirait par la libérer de son emprise.

Il était déjà vingt et une heures quand ils terminèrent de nettoyer et s'installèrent pour la nuit. Dehors, la neige avait cessé de tomber, et même si le ciel était couvert, le sol scintillait d'une lueur étrange, captant des filets de lumière et les réfléchissant comme de minuscules éclats de verre. Le paysage était fantomatique.

Ils avaient repoussé les meubles et étendu leurs sacs de couchage sur le sol devant la cheminée. Il y avait une seule chambre, où Violet imaginait que Megan dormirait puisque c'était là qu'elle s'était terrée plus tôt, et une petite mezzanine sans doute réservée à M. Russo. Quand il était là.

Mais, bien qu'elle eût sa propre chambre, Megan ne s'éclipsa pas. Elle resta avec le groupe, assise sans rien dire dans un coin reculé de la pièce.

Dès qu'elle en avait l'occasion, Violet essayait de l'impliquer dans la conversation. Mais Megan répondait à contre-cœur, en un minimum de mots, avant de retomber dans le silence, s'évertuant à décourager toutes les tentatives de Violet pour se montrer amicale.

Quand il se fit tard, ils gagnèrent un à un leur sac de couchage. Violet se glissa dans le sien, à côté de Jay, et Megan retourna dans sa chambre au bout du petit couloir.

Les conversations s'espacèrent, puis s'évanouirent complètement, jusqu'à ce que l'on n'entende plus que le crépitement du feu en train de mourir.

CHAPITRE 30

La pluie réveilla Violet, mais ce fut la douleur qui l'empêcha de se rendormir. Sourde, elle remontait le long de son cou, lui enserrait le crâne avec ses doigts ligneux.

Et il y avait autre chose. Une lumière ... discontinue.

Violet avait beau fermer les yeux, elle lui transperçait les paupières.

Un frisson glacé la parcourut, et elle lutta pour ne pas céder à la panique. Elle se força à ne montrer aucune réaction et resta allongée sans bouger, feignant de dormir.

« Il y a une explication », se répétait-elle en boucle. Il devait exister une explication rationnelle.

Des pas raclaient le plancher ; Violet retint son souffle, les suivant à l'oreille. Elle songea à réveiller Jay, mais elle n'osait pas respirer, et encore moins bouger.

Et même si la douleur était moins forte que dans l'après-midi, elle la reconnut immédiatement.

C'était l'écho de la forêt. Ou plutôt l'empreinte, émanant de la personne qui avait enterré le cadavre que Violet avait localisé.

Elle entendit les pas s'arrêter dans la cuisine et le tintement métallique de clés qui heurtaient le plan de travail.

Elle souleva très lentement les paupières, son pouls protestant violemment tandis qu'elle essayait toujours de paraître endormie. Chacun de ses mouvements lui semblait flagrant et exagéré, et elle craignait qu'on ne la surprenne en train d'épier.

Les flashs se succédaient, chaque étincelle déclenchant chez elle des réactions physiques qu'il lui était difficile de contrôler. Sa tête l'élançait sans discontinuer.

Quand elle eut enfin les yeux ouverts, elle vit un homme de dos. Grand et massif, avec une grosse veste de bûcheron à carreaux rouges et noirs. Il tanguait légèrement, les mains posées sur le bord du plan de travail. De son sac de couchage, Violet percevait les relents âcres du tabac froid et de la bière qui émanaient de lui.

Puis il se retourna, s'emmêla les pieds, et Violet ferma les yeux pendant plusieurs respirations. Quand elle entrouvrit de nouveau les paupières, elle vit un visage qu'elle reconnut instantanément.

C'était celui de Mike.

Ou, plutôt, Mike tel qu'elle se l'imaginait avec trente ans de plus et les traits marqués.

C'était son père, Ed Russo.

La lumière qui rayonnait de sa peau était d'une intensité anormale, d'un éclat douloureux. Encore qu'elle aurait peut-être pu être supportable si Violet n'en avait pas connu l'origine.

Elle se rappelait la nuit où des éclairs l'avaient réveillée, et elle ne comprenait pas comment un homme – comment *cet* homme – pouvait être responsable de la mort du chaton qu'elle avait trouvé devant chez elle.

Et pourquoi… ?

Ces questions l'obsédaient et la terrifiaient.

Et voilà qu'elle se retrouvait dans ce chalet de montagne perdu au milieu de nulle part avec lui. Comment cela pouvait-il être une coïncidence ?

Que devait-elle faire ? La neige, l'isolement, ce *tueur* tout près d'elle… Elle se sentait prise au piège. Elle n'avait aucun moyen de contacter le monde extérieur, à moins de se rendre en ville pour demander de l'aide, et y aller seule ne lui paraissait pas raisonnable.

Sinon quoi ? Réveiller Jay ? Raconter aux autres que le père de Mike avait tué un chat et le lui avait déposé dans son jardin ?

Comment leur expliquerait-elle ? Quelle raison aurait-il eu de faire ça ? Et pourquoi elle ? Pour autant qu'elle le sache, elle ne l'avait jamais vu.

Et puis il y avait le mot. Et les coups de téléphone. Cet homme, *le père de Mike*, pouvait-il en être l'auteur ?

Sans compter qu'il ne semblait même pas remarquer sa présence, ne semblait pas se préoccuper qu'elle soit là.

Elle avait le tournis, et la douleur persistante l'empêchait de se concentrer. Mais il y avait pire. Autre chose venait désormais s'ajouter au reste, une chose qu'elle ne pouvait plus nier.

Dès l'instant où elle s'était réveillée, dès l'instant où cet homme était entré dans la pièce, Violet avait été submergée par le besoin irrépressible de retourner dans la forêt.

De retourner auprès de l'écho.

Elle resta immobile longtemps après que le silence fut retombé dans le chalet, longtemps après que le père de Mike fut monté sur la mezzanine et qu'elle l'eut entendu se coucher.

Elle attendit encore un peu, par mesure de précaution, puis s'extirpa doucement de son sac de couchage, veillant à ne pas déranger les autres. Elle ne voulait pas réveiller Jay ; elle savait qu'il tenterait de la retenir. Mais elle ne pouvait pas rester.

Le besoin impérieux de retourner à la source de l'écho la consumait au point de lui faire oublier son mal de tête et les explosions de lumière provenant de la mezzanine.

Le feu brûlait toujours, et Violet s'aperçut que quelqu'un, sûrement Mike ou Jay, avait remis du bois pendant la nuit. Elle se sentait pourtant frigorifiée. Et si la perspective de sortir par cette température polaire était rebutante, elle ne suffisait pas à faire taire l'appel primitif contre lequel Violet ne pouvait plus rien.

Elle s'habilla rapidement, prit une lampe torche et traversa la pièce sans bruit, ses bottes à la main. Elle retint son souffle et entrouvrit la porte, prenant garde à ne pas faire claquer le loquet. Elle laissa tomber ses bottes dans la neige et glissa ses pieds à l'intérieur.

L'air nocturne lui lacéra les poumons à la première inspiration. Un spasme violent la secoua, et la chaleur qu'elle espérait emporter avec elle, emmitouflée dans son gros anorak, se volatilisa d'un coup.

Même ses os lui paraissaient glacés et cassants.

Elle enfonça son bonnet jusqu'aux yeux et enroula son écharpe autour de sa tête, respirant à travers.

Elle se dirigea vers la cabane à outils, dans l'espoir d'y trouver quelque chose qui pourrait lui servir à creuser.

L'intérieur sentait le bois moisi. Violet alluma sa lampe torche. Des bûches s'empilaient le long d'un mur du sol au plafond. Elle aperçut un bric-à-brac de vieilles boîtes entassées à même la terre battue, des outils en tout genre qu'elle n'identifia pas pour la plupart, des pots de peinture rouillés, un vieux balai, une échelle branlante… Elle aurait voulu une bêche, mais il n'y avait qu'une pelle à neige, dont elle doutait qu'elle lui servirait à grand-chose.

Soudain, elle repéra une hache contre le tas de bois. Aiguisée ou non, elle lui permettrait au moins de briser la couche de glace.

La saisissant par le manche, elle éteignit sa lampe et ressortit.

Quand elle fut parvenue à bonne distance du chalet, elle ralluma sa lampe. L'épaisse couche nuageuse masquait la lune, et elle n'y voyait pas grand-chose.

Le faisceau se réfléchissait sur la neige, révélant une brume fine d'une beauté irréelle. Dans d'autres circonstances, Violet aurait trouvé ce spectacle merveilleux.

La hache commençait à peser et elle la hissa sur son épaule pour se soulager.

Elle eut un bref moment de répit quand l'empreinte qu'elle avait laissée derrière elle – celle du père de Mike – la lâcha enfin. Mais ce n'était que temporaire ; l'écho reprendrait possession d'elle dès qu'elle approcherait des sous-bois où le cadavre était enfoui.

Elle n'eut pas besoin de voir ses pas dans la neige pour trouver son chemin ; ce fut l'écho qui vint à elle. Il l'appelait.

« Magique, pensa-t-elle, la volonté des morts. » Et à l'instant où la douleur reprit possession d'elle, elle eut l'intuition fugace que son don n'était rien de moins que miraculeux.

Comme la première fois, la douleur atteignit son paroxysme juste avant que les molécules imaginaires ne se déversent en elle, la soulageant et lui donnant le vertige.

Elle avait atteint le cadavre.

Elle pensa au petit chat dans la boîte et se demanda quel animal gisait sous ses pieds.

Mike avait mentionné que son père chassait, et Violet supposait que cela sous-entendait du gros gibier – élan ou cerf plutôt que caille ou lapin.

«Ou d'innocents chatons», songea-t-elle amèrement.

Puis elle laissa la brume s'emparer de son esprit tandis qu'elle tombait à genoux.

Fierté

*A*llongée dans le noir, Megan tendait l'oreille. Elle avait pris l'habitude d'être une sentinelle de la nuit. Et les vieilles habitudes ont la peau dure.

Elle avait entendu son père rentrer, et elle avait su, au raffut qu'il faisait, qu'il avait bu.

Elle resta éveillée bien après qu'il se fut couché et que le silence fut retombé.

Puis elle perçut un léger bruit.

Elle pensa d'abord que c'était un des amis de son frère allant aux toilettes.

Mais non.

C'était à peine audible, et si elle n'était pas allée à la fenêtre, elle ne se serait peut-être aperçue de rien. Quelqu'un était sorti du chalet.

Violet.

Voir Violet disparaître dans la nuit, tout emmitouflée, lui causa un choc. Encore quelques jours plus tôt, voir cette personne qu'elle avait haïe s'évanouir dans l'obscurité glacée ne lui aurait sans doute fait ni chaud ni froid.

Mais maintenant… maintenant c'était différent. Elle éprouvait de la curiosité.

Et de l'inquiétude.

Violet avait fait preuve de gentillesse à son égard alors qu'elle ne le méritait pas. Elle l'avait accueillie dans leur groupe, lui avait pardonné ce dont elle avait pu la soupçonner, et avait essayé de repartir sur de nouvelles bases.

Megan s'en voulait pour tout ce qu'elle lui avait fait subir.

C'était un mélange d'émotions bizarre. Des sentiments inconnus l'envahissaient par vagues.

Megan glissa sa main sous son oreiller et en extirpa le minuscule collier rose qu'elle y avait caché. Elle le caressa avec tendresse, les yeux fermés, entre le pouce et l'index.

Son petit chat lui manquait, ce petit chat errant qu'elle avait nourri en cachette, aimé en cachette. Il attendait son retour du lycée, il comptait sur elle, il l'aimait.

C'était la première fois qu'on avait besoin d'elle. Vraiment besoin d'elle.

Mais ça aussi, son père le lui avait enlevé.

Il refusait qu'on l'aime.

Il était trop égoïste pour accepter que sa fille soit heureuse, alors il avait réglé le problème à sa manière : au lieu de discuter et de lui demander de chasser le chaton, il l'avait tué et jeté à la poubelle.

Maintenant il ne lui restait plus que le collier qu'elle lui avait acheté et une rancœur tenace.

Son père n'avait jamais avoué, et Megan ne l'avait jamais accusé ouvertement. Mais elle savait que c'était lui.

Découvrir son petit chat au fond de la poubelle l'avait rendue malade, mise hors d'elle. Mais sa colère s'était trompée de cible. Violet n'y était pour rien si la vie de Megan n'était pas conforme à ses désirs. Ce n'était pas Violet qu'elle devait haïr.

C'était lui. Son père.

Son estomac se serra quand elle l'entendit descendre de la mezzanine.

Se précipitant sous ses couvertures, elle fit semblant de dormir, un exercice qu'elle avait pratiqué tant de fois qu'elle était devenue experte.

Mais ce n'était pas dans sa chambre qu'il se rendait.

Elle dressa l'oreille tandis qu'il s'activait dans le chalet, moins discrètement que Violet, et sortait par la porte de derrière.

Elle se dépêcha d'aller à la fenêtre couverte de givre et le vit partir dans la neige, un fusil à la main.

Dans les pas de Violet.

CHAPITRE 31

Violet eut un mouvement de recul lorsque la hache percuta le sol gelé, lui donnant des fourmillements dans les bras. L'outil était trop lourd pour elle, trop massif pour cette besogne.

Elle avait posé la lampe dans la neige de façon à éclairer l'endroit où elle essayait de creuser.

Elle avait l'esprit embrumé. Ses idées dérivaient tels des filets de fumée opaque et s'évanouissaient dès qu'elle cherchait à les retenir. Soudain, l'effet que l'écho produisait sur elle sembla s'intensifier... son étreinte se resserra, la comprimant dans son étau.

C'était incompréhensible, elle avait répondu à son appel ; pourquoi continuerait-il à s'amplifier ? À moins que...

Sa voix, grave et lasse, confirma ses craintes – elle n'était plus seule.

Comment avait-il réussi à s'approcher sans qu'elle le remarque ? Était-ce à cause du brouillard qui empoisonnait ses pensées ou de la douleur lancinante qui s'infiltrait progressivement dans son cerveau ? Ou peut-être était-elle tout simplement trop absorbée par sa tâche pour s'apercevoir qu'un changement s'était opéré dans son environnement.

Qu'elle courait un danger.

— Comment tu as su ? demanda l'homme.

Ses paroles crissèrent dans la nuit.

Elle sursauta, l'effroi l'arrachant temporairement à sa stupeur. Elle n'eut pas besoin de lui demander son nom ; quand elle le vit devant elle, les explosions de lumière intermittentes sous la capuche de son blouson lui suffirent à l'identifier. En entendant les grosses gouttes qui l'avaient réveillée un peu plus tôt, elle s'aperçut qu'il s'était remis à pleuvoir.

« Mais non, comprit-elle avec un temps de retard. Il ne pleut pas ; il fait trop froid pour qu'il pleuve. » Il s'agissait seulement du *bruit* de la pluie.

Elle baissa les yeux vers la hache qu'elle tenait dans ses mains gantées. Elle ne savait pas quoi dire. La terreur lui nouait la gorge.

Il se remit à parler, plus bas cette fois-ci, d'une voix ravagée par le chagrin. Le regret peut-être même.

— Comment tu es arrivée jusqu'à elle ?

Ses questions n'avaient ni queue ni tête, et Violet n'arrivait pas à rester concentrée.

Elle ? Violet tenta de se rappeler le peu qu'elle savait sur la chasse, sur les règlements que les chasseurs étaient censés respecter. N'était-ce pas illégal de tuer les femelles ?

Elle serra les dents, luttant pour ne pas succomber à l'attraction qu'exerçait l'écho, au venin qui promettait d'endormir ses sens.

L'homme fit un autre pas vers elle en trébuchant, et Violet distingua entre deux flashs ses yeux cerclés de rouge que soulignaient des cernes sombres. De près, il avait l'air tellement plus vieux. Et tellement usé.

Il la regardait sans la voir.

Violet se souvint qu'il avait passé la journée en ville – probablement à boire – et elle se demanda si ses idées étaient aussi confuses que les siennes.

Elle songea à s'éloigner de l'écho pour reprendre ses esprits, mais y renonça à la perspective de devoir affronter la douleur, accrue par la présence de l'homme. À tout prendre, elle préférait rester dans un état second.

— Je l'aimais, reprit-il, sa voix rongée par l'angoisse. Et il y a très, très longtemps, elle aussi m'aimait. Je ne voulais pas faire ça.

Violet abandonnait tout espoir de comprendre ce qu'il lui racontait. Ses paroles s'égrenaient comme les éléments d'une charade impossible à résoudre.

— Elle avait juré qu'elle m'aimerait toujours. Elle en avait fait le serment…

Sa voix devint amère, furieuse. De l'écume moussait à la commissure de ses lèvres, et Violet comprit que ce n'était plus à elle qu'il s'adressait. Il regardait derrière elle, perdu dans ses souvenirs.

— Mais elle a menti. Et ensuite elle m'a annoncé qu'elle ne m'aimait plus. Elle a dit… elle a dit qu'elle voulait vivre avec lui, ajouta-t-il d'une voix brisée. Il a détruit ma vie.

Violet baissa les yeux vers sa main, qui pendait mollement le long de sa cuisse. Elle aperçut le fusil sur lequel il s'appuyait, serré dans sa paume.

Ses idées commencèrent à s'éclaircir et elle frissonna. Son sang coulait dans ses veines telle une décharge électrique. Elle prit soudain pleinement conscience de l'endroit où elle se trouvait… et de l'homme qui se tenait devant elle. Ce qu'elle entendait la terrifiait, même si elle ne comprenait toujours pas ce qu'il confessait au juste. Mais elle savait, au fond d'elle-même, qu'il lui faisait un aveu qu'elle ne voulait pas entendre. Que personne n'aurait jamais dû avoir à entendre.

— Mais moi, je l'aimais, murmura-t-il, les yeux toujours dans le vague. Comment pouvait-elle me quitter ? Comment pouvais-je la laisser faire ça ?

Violet n'arrivait pas à détacher son regard de l'arme.

— Je ne voulais pas lui faire de mal, avoua-t-il, ses yeux croisant ceux de Violet, cherchant à la convaincre, l'implorant de comprendre.

Le cœur de Violet explosa dans sa poitrine. Tremblant comme une feuille, elle attendit de voir ce qu'il voulait d'elle. Ce qu'il comptait lui faire.

Elle acquiesça, pour lui montrer qu'elle le croyait.

— Je ne pouvais pas la laisser m'enlever mes enfants. Je ne pouvais pas les laisser fonder une nouvelle famille avec lui. Ils m'aiment, tu sais? expliqua-t-il, le regard fiévreux. J'ai essayé de la raisonner, de lui dire qu'elle se trompait, que je pouvais changer. Mais elle avait déjà pris sa décision. Elle m'a répondu que c'était trop tard. Puis elle a déclaré que je ne les reverrais jamais. (Il marqua une pause, visiblement désorienté, avant de prendre Violet à témoin.) *Ne plus jamais les revoir? Comment pouvait-elle me faire ça?*

Il fronça les sourcils et secoua la tête, la mine déterminée.

— J'ai tenté de la faire changer d'avis. Elle a refusé de m'écouter. Je ne voulais pas lui faire de mal, répéta-t-il, sa phrase se terminant sur un sanglot haché. Ensuite je l'ai amenée ici, pour qu'elle soit dans un endroit qu'elle avait toujours aimé. Pour toujours…

Il serra la crosse du fusil au point que ses doigts devinrent blancs.

— Je suis sincèrement navré que tu l'aies trouvée, dit-il d'une voix triste. Je ne voulais pas que quelqu'un d'autre meure.

CHAPITRE 32

Jay se retourna dans son sac de couchage et tendit le bras vers Violet. Quand sa main ne rencontra que du vide, il ouvrit les yeux.

À la lueur déclinante des braises, il vit qu'elle n'était plus allongée à côté de lui. « Elle a dû aller aux toilettes », pensa-t-il, à moitié endormi, tandis qu'il changeait de position.

Il écouta le souffle régulier des autres. La respiration de Mike était si sonore qu'il faillit lui donner un petit coup de coude pour le réveiller, puis il songea qu'il préférait être seul avec Violet quand elle reviendrait. Au bout d'un certain temps, il finit par s'impatienter et se leva pour voir ce qui prenait si longtemps à Violet.

Quand il regarda au fond du couloir par la porte ouverte de la salle de bains plongée dans le noir, son ventre se noua.

Il n'y avait personne à l'intérieur.

Il hésita devant la porte de la chambre de Megan... Peut-être que Violet était allée parler à la petite sœur de Mike.

Il toqua aussi doucement que possible, faisant attention à ne pas réveiller les autres. Personne ne répondit.

Prenant une profonde inspiration, il tourna la poignée et jeta un coup d'œil. La lampe de chevet était allumée, le lit défait et vide. Personne ne se trouvait dans la petite chambre glaciale.

La panique s'empara de lui. Il y avait un problème.

Il retourna rapidement dans la pièce principale et, se penchant vers Mike, il lui attrapa le bras pour le réveiller.

— Elles sont parties. Megan et Violet ne sont plus là, chuchota-t-il bruyamment.

Mike, qui dormait profondément, se protégea les yeux avec son bras, comme si la lumière diffuse du feu qui s'éteignait était trop forte pour lui.

— De quoi tu parles? demanda-t-il d'une voix enrouée.

— Jay, où est Violet? s'inquiéta Chelsea en se dressant sur son séant et en se frottant les joues.

— Je n'en sais rien, répondit Jay, qui parlait de plus en plus fort. Elle n'était pas là quand je me suis réveillé. J'ai vérifié dans la chambre de ta sœur, dit-il à Mike. Elle aussi a disparu.

Mike s'assit enfin, attrapa son pull par terre et l'enfila.

— Et mon père? (Sans attendre la réponse, il alla regarder par la fenêtre, avant de monter rapidement l'escalier de la mezzanine.) Son pick-up est là mais pas lui, déclara-t-il, complètement réveillé à présent.

— Tu penses qu'elles sont où? demanda Claire.

— Il n'y a vraiment nulle part où aller dans le coin, répondit-il en consultant Jay du regard, attendant ses suggestions.

Mais celui-ci s'habillait déjà pour sortir. Il savait où se trouvait Violet; il aurait dû se douter qu'elle essaierait de retourner dans la forêt après avoir découvert cet écho… L'appel était trop fort pour qu'elle l'ignore.

— Toi et Claire, vous restez ici, ordonna-t-il à Chelsea. Mettez du bois dans la cheminée, et si Megan et Violet rentrent, vous ne bougez pas. Mike et moi revenons le plus vite possible.

Mike nageait en pleine confusion mais il s'habilla sans poser de questions, s'en remettant entièrement à Jay.

Ils sortirent dans le froid mordant par la porte de derrière et repérèrent trois traces fraîches dans la neige.

CHAPITRE 33

— Tu veux dire qu'elle ne nous a pas abandonnés ? Ce fut le murmure éraillé de Megan qui brisa le silence mortel qui planait dans la nuit.

Violet ne savait pas si elle devait se sentir soulagée par cette interruption ou hurler à Megan de s'enfuir.

À la lueur blafarde de la lampe torche posée dans la neige, elle voyait les larmes ruisseler sur le visage de la jeune fille. Elle fixait son père avec incrédulité, ses traits marqués par la révulsion et le chagrin.

— Tu veux dire qu'elle est... (elle pointa le doigt vers le sol, à l'endroit où Violet avait commencé à creuser) ... *là* ?

Elle prononça ce dernier mot d'une voix presque inaudible, et Violet perçut sa détresse.

— Megan, s'il te plaît, comprends-moi. Elle voulait partir avec vous. Elle voulait nous séparer. Je ne pouvais pas la laisser faire. Je ne pouvais pas la laisser vous emmener... pas avec Roger. Ce type était un salopard. Il la battait, je ne pouvais pas risquer qu'il s'en prenne à vous aussi. Je ne sais pas pourquoi il est revenu tout gâcher... (Il avança d'un pas et tendit la main vers elle, mais elle recula, se rétractant comme si sa main avait été contaminée.) Je t'aime...

Violet en profita pour se lever. Elle se sentait tremblante, chancelante, droguée par l'écho. Toutefois, elle était assez lucide pour réfléchir, même si elle ignorait combien de temps l'adrénaline tiendrait à distance les sensations indésirables.

— Tu ne nous aimes pas! cria Megan, retrouvant enfin sa voix. Comment as-tu pu faire ça? Tu ne vaux pas mieux que lui. Tu es pire! C'était notre mère! Elle ne l'aurait pas laissé nous faire du mal! Comment as-tu pu? hurla-t-elle. *Comment as-tu pu?*

— *Crois-moi! Je t'aime!* Tu es ma princesse. Je ne pourrais pas vivre sans toi!

Il essaya à nouveau de la toucher, mais un de ses ongles lui égratigna la joue.

Megan trébucha et tomba à la renverse aux pieds de Violet. Soudain, Ed Russo se rappela son existence, et son visage se tordit sous l'effet de la haine.

— C'est ta faute, brailla-t-il. Tout est ta faute! Si tu n'avais pas débarqué dans notre vie, on s'en serait sortis!

— Notre vie était horrible, gémit Megan. On ne s'en serait jamais sortis. *Tu as tué ma mère!*

Violet ouvrait de grands yeux. Son cœur battait à tout rompre dans sa poitrine. Elle voulait expliquer que c'était une erreur, un malentendu – n'importe quoi pour le faire partir –, mais il calait déjà son fusil sur son épaule, le braquant droit sur elle.

Elle grelottait de peur et de froid. Elle était paralysée. Le déluge fantôme continuait de se déverser sur elle tandis qu'elle se demandait quel écho revêtirait son propre corps.

— Non mais ça va pas? Qu'est-ce que tu fous?

La voix déformée de Mike siffla à ses oreilles comme une bourrasque. Elle entendit l'impact sourd de deux corps tandis que Mike se jetait sur son père et le plaquait contre un tronc.

Megan se remit sur ses pieds.

— Elle ne nous a pas abandonnés. Elle n'est pas partie. C'est lui qui l'a tuée, sanglota-t-elle, montrant son père du doigt.

Mike jeta un coup d'œil à Violet, complètement perdu.

Puis il se tourna vers Megan, vit dans quel état elle était, et soudain la confusion qui régnait dans son esprit se dissipa.

— C'est vrai? (Il porta la main à la gorge de son père.) Est-ce qu'elle dit la vérité?

Son père se contenta de fermer les yeux, mais sa réponse était claire.

Jay arriva, essoufflé, et attira Violet dans ses bras. Après s'être assuré qu'elle n'avait rien, il se plaça devant elle pour la protéger.

Mike arracha le fusil des mains de son père. Ed Russo ne chercha même pas à résister.

Reculant d'un pas, Mike lâcha son père d'un geste brusque. Sa tête partit en arrière et heurta le tronc d'arbre avec un craquement. Le son se répercuta autour d'eux.

— Comment as-tu pu lui faire du mal? Comment as-tu pu nous faire ça?

Violet regarda Mike vérifier que le fusil était chargé.

Une part d'elle s'attendait que Megan intervienne, qu'elle s'oppose à la tournure que prenaient les événements. L'expression de Mike face à l'homme qui venait d'avouer le meurtre de sa mère faisait froid dans le dos. Le fait qu'il soit armé conférait à la scène une noirceur indescriptible.

Mais Megan resta à sa place, se fondant silencieusement dans le décor, disparaissant sous leurs yeux. Même son regard s'était éteint.

Agrippée à Jay, Violet n'osait même pas respirer.

Ed Russo se ratatina sur le sol. Il éclata en sanglots, son

souffle chaud formant des petits nuages de vapeur tandis qu'il implorait ses enfants avec des sifflements saccadés.

— Je suis désolé… Je vous en supplie… pardonnez-moi. Je ne mérite pas de vivre. Tuez-moi… Je ne veux pas aller en prison…

Il se cacha le visage dans les mains.

Mike pointa le fusil sur lui, les mains tremblantes.

— Mike, s'écria Jay en avançant vers son ami, ne fais pas n'importe quoi !

Violet se demandait comment il pouvait se montrer si calme, si posé, alors qu'elle-même était incapable de parler. Les sensations nébuleuses de l'écho recommençaient à gagner du terrain.

Mike posa les yeux sur Jay, son regard brillant d'une lueur étrange, démente. L'espace d'un instant, on aurait dit qu'il avait oublié qu'il n'était pas seul avec son père. Il fronça les sourcils, déconcerté.

Jay s'approcha encore, paumes ouvertes devant lui.

Dans sa tête, Violet lui cria de revenir, de la protéger, de rester en dehors de cette situation explosive.

— Ce n'est pas une bonne idée, Mike. Crois-moi. Il a déjà avoué et il ira en prison pour ce qu'il a fait. C'est largement suffisant. À quoi ça t'avancerait de le blesser ?

Mike répondit d'une voix monocorde :

— Je n'avais pas l'intention de le blesser.

Jay fit un autre pas en avant, comprenant le sous-entendu.

— Je sais. Mais pense à ta sœur, argumenta-t-il en regardant Megan, qui pleurait en silence. Elle a besoin de toi, Mike. Si tu fais quoi que ce soit à ton père, ils vous sépareront. Qu'est-ce qui lui restera ?

Une lueur d'affolement passa dans le regard de Megan. La peur de perdre son frère, peut-être. Et le besoin de l'avoir à ses côtés.

Mike tourna la tête à son tour et la vit. Telle qu'elle était vraiment. Brisée. Ses épaules s'affaissèrent légèrement tandis que sa colère se fissurait pour laisser place à une expression plus douce.

Megan resta immobile, ses yeux ne quittant pas ceux de son frère.

Alors il acquiesça.

— Ramène les filles au chalet et allez chercher de l'aide au village. Je vous attends ici.

— Tu ne lui feras rien? demanda Jay.

Mike le regarda dans les yeux.

— Je te le promets, répondit-il gravement.

Violet, une fois encore, dut s'appuyer sur Jay.

La réaction de Megan, la prit complètement au dépourvu. L'adolescente refusait de la lâcher, se cramponnant à sa main. Et après tout ce que la jeune fille avait enduré, Violet n'avait aucune intention de la repousser. Alors que la douleur devenait presque insupportable, Violet aurait juré entendre Megan chuchoter, si bas qu'elle était la seule personne à laquelle ces mots pouvaient s'adresser, quelque chose comme : « Je suis désolée. »

Mais elle était trop épuisée pour en avoir la certitude.

À mesure qu'ils s'éloignaient des arbres, coupant à découvert pour rejoindre le chalet, la douleur commença à diminuer imperceptiblement. Puis, pas après pas, Violet sentit le soulagement s'épanouir en elle comme une fleur. Elle respira à fond, heureuse d'être libérée.

Droit devant eux, la nuit était traversée par d'étranges explosions lumineuses. Mais ces lumières-là étaient différentes de l'empreinte qui émanait de la peau d'Ed Russo. Elles étaient visibles par tous. Des lumières rouges et bleues qui baignaient le paysage de nuances carmin et indigo.

La police était déjà là. Comment était-ce possible ?

Dans leur dos, une détonation claqua, assourdissante. Violet et Jay sursautèrent, leurs pieds s'immobilisant dans la neige. Megan ne tressaillit même pas.

Et tous les trois comprirent que la beauté de cette nuit enneigée n'avait été qu'une illusion glacée.

Une activité frénétique s'empara soudain du chalet. Alors que le calme régnait encore un instant plus tôt, une foule de personnes se précipita vers eux, se déversant par la porte de derrière comme une marée humaine. Des lampes torches se réfléchirent sur le sol et les trouvèrent debout dans la nuit, transis de froid.

Violet vit son oncle et ses parents courir à sa rencontre.

Et, quelque part, dans le flot des visages qui les engloutit – Jay, elle et Megan –, elle aperçut Sara Priest.

CHAPITRE 34

Pour Violet, le reste de la nuit se déroula comme un rêve décousu. Il s'était déjà passé tant de choses et elle se posait encore tant de questions.

Ses parents lui expliquèrent que Sara Priest, qu'ils avaient d'abord prise à tort pour un agent du FBI – comme elle au début –, leur avait téléphoné à plusieurs reprises.

Une première fois pour demander que Violet la rappelle, message qu'ils avaient laissé aux propriétaires de l'épicerie. Puis, au beau milieu de la nuit, pour les prévenir que Violet était en danger, qu'elle avait besoin d'aide. Sara avait aussi suggéré qu'ils contactent l'oncle de Violet et que tous les trois la retrouvent au chalet. Elle se chargeait d'avertir les autorités locales.

M. et Mme Ambrose ne connaissaient pas Sara, ni les rapports qu'elle entretenait avec leur fille, mais en apprenant que celle-ci était en danger, ils n'avaient pas posé de questions.

Ils furent soulagés de retrouver Violet saine et sauve. Et horrifiés de découvrir que Sara avait eu raison de penser que sa vie était menacée et que quelqu'un était peut-être mort.

Ils étreignirent leur fille à la broyer. Elle n'avait jamais été aussi contente de les voir.

Chelsea et Claire pleurèrent de soulagement en constatant que Violet, Megan et Jay n'étaient pas blessés.

Mike se trouvait toujours dans la forêt. Personne ne savait avec certitude ce qui lui était arrivé. Le temps que les policiers partent le chercher, il sortait des bois glacés.

Et ce fut la pagaille.

Violet essaya de le voir, tout en prêtant l'oreille au vacarme provoqué par sa soudaine apparition. Des voix lui crièrent de mettre les mains en l'air.

Mike obéit mollement, et Violet remarqua que son regard était aussi éteint que celui de sa sœur.

Elle ne percevait absolument rien. Aucune odeur curieuse, aucune couleur ou lumière suspecte, aucun bruit inhabituel. Pas la moindre empreinte.

Se détachant de ses parents, elle s'avança vers Mike qu'un policier menottait. Elle avait besoin de savoir ce qui s'était passé. Elle le sonda, poussant son don au maximum, sans résultat.

— Qu'en pensez-vous ? lui demanda Sara.

— Je ne crois pas qu'il l'ait tué, dit-elle en secouant la tête. (Puis elle regarda Sara.) Il y a un corps dans la forêt. En plus de celui de leur père. Je pense que Serena Russo est enterrée là-bas depuis un certain temps, déclara-t-elle d'une voix atone.

Sara cligna des yeux, et Violet vit les questions se profiler, celles auxquelles elle se sentait désormais prête à répondre. Quand tout serait terminé, elle lui raconterait tout.

— Pouvez-vous me montrer l'endroit ?

Violet la conduisit jusqu'à l'écho qui l'avait attirée dans les bois.

Elles ne purent pas s'approcher ; on installait un cordon de sécurité et, malgré les rapports que Sara entretenait avec la police, on lui demanda de rester en arrière. Mais ça n'avait pas d'importance ; elles étaient assez près comme ça.

Le père de Mike était là. Il portait toujours les empreintes des vies qu'il avait ôtées avant sa mort.

Et maintenant Violet en percevait une autre, fraîche et vibrante. Des centaines et des centaines de beaux papillons irréels aux ailes délicates et vaporeuses voletaient autour du corps sans vie.

Le fusil reposait sous son bras.

Mike n'avait pas tué son père. Violet aurait vu les papillons sur lui. Or Ed Russo portait à la fois l'empreinte et l'écho de son suicide.

Sara posa la main sur le bras de Violet, prenant à tort son expression pour de la peine.

— Vous n'êtes pas obligée de regarder, dit-elle avec douceur.

Mais Violet ne regardait pas le cadavre d'Ed Russo. C'était l'écho de Serena Russo qui la faisait frémir de douleur.

— Elle est là-bas, indiqua-t-elle en pointant le doigt. Il l'a tuée et l'a enterrée ici.

Sara hocha la tête, et Violet comprit que son calvaire touchait à sa fin. Une fois que Serena Russo aurait eu enfin droit à un enterrement digne, Violet serait libérée.

— C'était lui, vous savez ? expliqua Sara tandis qu'elles faisaient demi-tour. C'est Ed Russo qui a tué le chien de Roger Hartman.

Violet voulut répondre, mais la douleur, insoutenable, l'en empêcha.

— Nous avons fini par joindre Hartman. Il nous a dit qu'Ed Russo le harcelait depuis qu'il était revenu dans le secteur. Il passait à son travail, chez lui, l'intimidait par téléphone. Hartman nous a laissés écouter certains messages. (Sara ne sembla pas surprise que Violet prenne appui sur son bras.) Pour la plupart, des propos d'ivrogne. Mais il accusait Hartman d'avoir empoisonné le cerveau de sa femme et détruit sa famille. Dans le dernier message, il se vante même d'avoir tué le chien. Une histoire assez triste.

Mais Violet était déjà au courant. Elle avait entendu cet écho – la pluie fantôme – de ses propres oreilles.

Elle fronça les sourcils, curieuse d'éclaircir un dernier point.

— Comment avez-vous su que j'avais besoin d'aide ? interrogea-t-elle. Qu'est-ce qui vous a poussée à venir jusqu'ici en pleine nuit ?

Sara leva la tête et regarda droit devant elle. Une lueur étrange passa dans ses yeux quand elle aperçut la silhouette qui se tenait à l'orée de la forêt, une lueur que Violet ne parvint pas à interpréter.

Violet suivit son regard et reconnut Rafe, qui les attendait, les mains enfoncées dans les poches. Ses yeux bleus sérieux les observaient avec retenue.

Même au beau milieu de la nuit, il avait l'air de venir d'un autre monde.

Lorsque Sara répondit à Violet, sa voix était étouffée, ses paroles mystérieuses et lourdes de sous-entendus.

— Quelqu'un m'a dit que vous étiez en danger.

ÉPILOGUE

À travers la vitre sans tain, Violet étudiait les hommes devant elle.

Comme la fois précédente, ils ne pouvaient pas la voir. Comme la fois précédente, plusieurs sensations fondirent simultanément sur elle. Elle s'approcha jusqu'à distinguer son souffle sur la paroi qui la séparait d'eux. Elle posa les mains sur la surface froide, les yeux clos, se concentrant sur la seule empreinte qui l'intéressait parmi toutes celles qui s'imposaient à elle.

L'oreille tendue, apaisée par le bruit de sa propre respiration, elle l'isola des autres.

Belle. Poignante. Mélodieuse.

Les notes évocatrices de la harpe.

C'était lui, l'homme qui avait enlevé le petit garçon dans l'Utah et qui l'avait laissé mourir dans un conteneur sur le front de mer.

Elle ouvrit les yeux.

— Lui, dit-elle en désignant l'individu à l'extrémité de la rangée.

— Tout juste, acquiesça Sara. C'est impressionnant, Violet.

Violet sourit.

— Alors j'ai réussi le test ?

— Je te l'ai déjà dit : ce n'est pas un test.

Elle s'écarta de la vitre tandis que les hommes quittaient la salle.

— Enfin, un peu, quand même.

Sara ne répondit rien. C'était inutile. Sara avait beau refuser de l'admettre, Violet savait qu'elle avait raison.

Violet s'était attendue à éprouver un certain soulagement ; elle savait que partager son secret, du moins avec Sara, lui ferait du bien. Mais jamais elle n'avait imaginé qu'elle se sentirait aussi vivante.

Elle avait un nouveau but dans la vie. Et même si elle n'avait pas encore officiellement accepté l'invitation de Sara à se joindre à leur groupe, Violet savait que, d'une certaine façon, c'était tout comme.

Elle ne comprenait toujours pas ce que l'équipe de Sara faisait exactement, ou comment elle fonctionnait, mais après avoir vu Sara en action au chalet, Violet avait deviné qu'elle avait de l'influence. Elle l'avait vue donner des ordres à l'équipe du shérif et interagir avec les agents du FBI arrivés plus tard sur la scène.

Même si elle ne travaillait pas directement pour le FBI, Sara Priest avait prouvé qu'elle était une personne avec laquelle il fallait compter.

Et surtout, Violet savait qu'elle pouvait lui faire confiance. Ce qui signifiait beaucoup.

Mike et Megan, pour leur part, étaient partis s'installer dans l'Oregon, chez une tante qui avait proposé de les accueillir.

Megan avait avoué qu'elle détestait Violet avant de la connaître, qu'elle l'enviait et qu'elle avait voulu l'effrayer en déposant le cadavre de son chat à côté de sa voiture. Elle avait également admis être l'auteur de la lettre et des appels anonymes.

Mais Violet l'avait pardonnée. La jeune fille avait déjà assez souffert ; cela faisait des années qu'elle vivait avec un père alcoolique, et elle venait d'apprendre que ce dernier avait assassiné sa mère.

Une longue thérapie serait nécessaire pour réparer les dégâts, et Sara s'était engagée à faire tout son possible pour lui apporter l'aide dont elle avait besoin.

Mike, en revanche, n'avait rien avoué.

Et même si personne ne pouvait contester son histoire, à savoir que son père lui avait arraché le fusil des mains pour se donner la mort, Violet entrevoyait une autre version des faits, autrement plus troublante.

Elle se rappelait avec quelle insistance Ed Russo avait imploré Mike de mettre fin à ses jours, de le laisser mourir, et elle se demandait si son fils n'avait pas accepté, offrant à son père une échappatoire à la prison.

Violet ne lui jetait pas la pierre. Elle se demandait si Ed Russo, quelque part, ne méritait pas ce qui lui était arrivé, et si Mike et Megan ne méritaient pas de vivre avec la certitude qu'ils n'auraient plus jamais à regarder leur père en face.

Elle n'en savait vraiment rien...

Tandis que Violet rassemblait ses affaires, Sara lui demanda de la rappeler plus tard.

Violet acquiesça, et elle se demanda encore une fois quel rôle elle jouerait au sein de leur groupe.

Dans le couloir, Rafe l'attendait.

Il lui tendit quelque chose ; Violet reconnut la feuille de papier rose qu'elle avait remise à Sara le jour où elle lui avait demandé son aide. Elle la regarda avec curiosité.

— Tiens, dit-il de cette voix calme à laquelle elle s'était habituée et qui seyait à sa nature secrète. Je n'en ai plus besoin.

Elle avança une main hésitante pour la lui prendre, se demandant pourquoi c'était lui qui l'avait récupérée. Elle avait passé beaucoup de temps à s'interroger sur la place que Rafe occupait dans l'équipe. Alors que signifiait le mot dans tout ça ?

Leurs doigts se frôlèrent et, une fois encore, elle sentit ce frémissement, ce courant électrique la parcourir.

Il retira vivement sa main et la regarda dans les yeux.

Violet lui adressa un sourire incertain.

— Au fait, je voulais te remercier d'être venu à notre secours l'autre nuit. À charge de revanche.

Elle n'attendit pas sa réponse. Mais alors qu'elle s'éloignait, elle vit, du coin de l'œil, qu'il l'observait avec un sourire entendu.

Violet n'avait pas besoin de savoir comment il avait deviné qu'elle avait des ennuis, tout comme elle ne voulait pas passer son temps à expliquer ce dont elle était capable.

Savoir qu'elle appartenait maintenant à autre chose, à ses côtés, lui suffisait.

— Tu as fait vite, s'étonna Jay quand Violet monta dans la voiture.

— Je t'avais dit que je n'en avais pas pour longtemps.

— Heureusement, parce que je crois qu'on va être en retard, répondit-il en consultant l'horloge de son tableau de bord.

— À la fête ? soupira Violet.

— Pour la centième fois : il n'y a pas de fête. (Il ajouta, avec un grand sourire :) Et puis si tu n'as pas l'air surprise, Chelsea va m'étriper.

— Pouah ! Je déteste les fêtes.

Jay l'attrapa par le cou et l'attira à lui. Elle sentit l'odeur de son chewing-gum à la menthe.

— Fais un effort. Aucun d'eux n'a pu te souhaiter ton anniversaire. (Il déposa un premier baiser, doux et tendre, sur sa joue. Puis un deuxième sur son autre joue, puis sur son menton.) On sera sortis de là en un rien de temps. (Ses lèvres effleurèrent son front ; il la couvait d'un regard brûlant.) Et ensuite (il parvint à sa bouche, l'embrassant légèrement), ce sera à notre tour de faire la fête.

Violet laissa échapper un soupir résigné, succombant à son argument très persuasif.

— Je crois qu'on va être en retard, murmura-t-elle, s'avouant enfin vaincue.

REMERCIEMENTS

Tout d'abord, je dois remercier mon agent à la patience d'ange, Laura Rennert, pour sa présence à mes côtés et pour ses encouragements à chaque obstacle sur mon chemin… Merci, Laura!

Merci à mes éditeurs chez HarperCollins, Farrin Jacobs et Kari Sutherland, pour votre soutien, vos conseils et votre indéfectible bonne humeur… Vous avez fait de *L'Appel des âmes perdues* un roman dont nous pouvons tous être fiers!

Merci également à ma fantastique équipe marketing et aux graphistes chez HarperCollins, notamment à ma super-attachée de presse Melissa Bruno – qui travaille sans relâche pour mettre mes livres entre les mains de la terre entière, pour ainsi dire – et à Sasha Illingworth – la graphiste incroyablement talentueuse qui a imaginé les deux (!) couvertures de mes romans. Je ne vous remercierai jamais assez!

Aux familles Deb et Tenner pour votre soutien sans faille! Jacqueline et Tamara, je n'aurais jamais survécu sans vous à la sortie de *Body Finder*! Shelli Wells, merci d'être une amie aussi dévouée dans la vraie vie que sur la Toile. Un remerciement particulier à tous les fans de *Body Finder* qui se sont mis en quatre pour faire passer le mot. Et Reggie, cette fois, tiens ce bouquin à l'écart de ta baignoire!

Je tiens aussi à remercier mon père, Gerry, pour le bagout qu'il m'a transmis (entre autres), un trait de caractère important pour tout écrivain… Merci. Et mon frère, Scot, qui m'a appris qu'un petit frère casse-pieds pouvait se transformer en meilleur ami.

Et, encore une fois, à ma mère, à Josh, à Abby, à Connor et à Amanda… pour être toujours à mes côtés et m'aimer autant que je vous aime !

Ouvrage composé par
PCA – 44400 REZÉ

Cet ouvrage a été imprimé
en Allemagne par

GGP Media GmbH
à Pößneck

Dépôt légal : août 2014

www.pocketjeunesse.fr
PKJ • POCKET JEUNESSE

12, avenue d'Italie - 75627 PARIS Cedex 13